# Can Curiad

Cyfrol o straeon bycha:
am fywyd, a chariad

# Can Curiad

Cyfrol o straeon bychain bach
am fywyd, a chariad

*golygwyd gan*
## Gareth Evans-Jones

bwthyn
GWASG Y BWTHYN

Cyhoeddwyd gan Gwasg y Bwthyn yn 2021

ISBN 978-1-913996-15-4

Cyhoeddwyd y llun a welir ar dudalen
1 a 50, ac ar y cloriau, yn wreiddiol yn y gyfrol
*Bro a Bywyd: T. Rowland Hughes 1903-1949*,
gol. W. Gwyn Lewis, Cyngor y Celfyddydau.

Cyhoeddwyd gyda chymorth ariannol
Cyngor Llyfrau Cymru

# Cynnwys

MAEN NHW I'W CLYWED YN GLIR

# Cyflwyniad
# Gareth Evans-Jones

## Can Curiad

Maen nhw i'w clywed yn glir. O gwmpas ac oddi mewn. Yn drawiadau bach, cyson, diddechrau, diderfyn. Yn ffrydio'n llyfn dros gerrig ein bod.

Rhyw deimlad yn y frest, yn tylino'n dawel. Curo yn y glust ar ôl rhedeg ras, ar ôl clywed newyddion, neu wrth ddisgwyl am rywbeth, a hwnnw'n hir yn dod. Ac ar sgrin monitor, yn cadarnhau bod bywyd yn bod.

Synau stacato'n pigo wrth i'r bys grwydro, llusgo, swyno, o eiliad i eiliad, o awr i awr. Ac amser yn syrthio'n fân rhwng dwy law er ceisio bob sut i'w ddal.

Alaw amrywiol o galon y byd: traffig yn tagu heibio; pobl yn mynd o dow i dow; plant yn chwarae a'u golygon yn gulion o eang.

A'r curiadau'n cynyddu, yn glanio'n ysgafn, yn drwm, yn chwithig, yn garuaidd ar glust.

Un. Dau. Tri.

Yn mynd, mynd, mynd.

Naw deg wyth. Naw deg naw. Cant.

Ac yn dal i fynd.

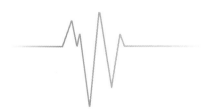

# SONIA EDWARDS

MAE BLODAU'N NEWID PETHAU

# Blodau

Mae blodau'n newid pethau. Bwrdd. Bedd.

Penglog buwch.

Fath â'r tatŵ sgin Ingrid rhwng ei hysgwyddau, asgwrn gwag o wyneb yn ddel oherwydd ei goron flodau.

'Symbol o gryfder benywaidd,' meddai. Cynghori. Argyhoeddi. 'Anghofia fo. Ti'n haeddu gwell.'

Mae'r rhosys yn disgwyl amdana i ar stepan y drws, yn wrid o addewidion.

Yn newid popeth.


# Llenni

Dim ond y gronynnau llwch sy'n dawnsio pan ddaw angau i'r tŷ. Ydi'r cloc hefyd yn tician yn uwch nag arfer? Ynteu ai fy nghlust i sy'n feinach wrth ysu am sŵn dy droed drwy gelwydd o bnawn, â'i liwiau-gwas-y-neidr yn wincio o'r corneli fel celc pioden?

Dim ond godre'r llenni sy'n anadlu pan fo dagrau'n fferru. Hen symud disymud. Cyrtans fel tasan nhw'n pwdu, yn ffugio'u marwolaeth eu hunain er mwyn iddyn nhwtha gael sylw. Ond maen nhw'n ddigywilydd o fyw, fel amrannau; adenydd gwyfynod yn cyfri i ddeg nes daw'r gwyll.

## Botwm

Mae'r botwm crys yn ei ôl, yn bupur gwyn hyd y cloddia lle cerddon ni. Hen greadur o flodyn ydi o, yma'n ddygn o hyd er nad oes neb yn cofio'i enw fo. Mae hwnnw wedi crino'n llwch ar wefusau'r hen bobol cyn dychwelyd i'r pridd.

Ond dwi'n cofio botwm dy grys di'n gylch yn erbyn fy moch, a'r awel feddal-cantel-het honno'n fflantio fel pais ar lein ddillad. A thrannoeth, mi ges i dy amlen di. Un wen, wag. Dim enw. Dim eglurhad. Dim ond y botwm. Bychan. Crwn. Darfodedig fel deigryn.

Byddai geiriau wedi bod yn ormod.

## Traeth

Mae traeth heb bobol yn lân fel emyn. Mae hi'n well felly, achos wedyn mi fedra i sgwennu dy stori di yn y tywod cyn i'r haul hogi'i gyllyll dros y cerrig llwydion. Mi sgwenna i am y gwaddod rhudd yn ein gwydrau, paneidiau, byrddau i ddau, blodau mewn potiau dan smwc o dynerwch yn yfed ein sibrydion. Mi ro i'r atalnod olaf cyn daw'r llanw i lafoerio wrth drio llenwi sgidia rhywun mwy na fo'i hun. Arhosaf i'r awel yn ei sgil wthio llafn ei cholled rhwng botymau fy nghôt. Wedyn mi wylith yr hiraeth oer i'r brethyn, fel na all neb byth wisgo hon ond y fi.

Mi fydd llun dy lais ar ôl, yn batrymau o sŵn sy'n donnau i gyd.

Awyr draeth ydi hon hefyd.

## Tecst

Neges destun. Geiriau'n talu am eu lle fel mewn stori gan Hemingway. Darllen. Ailsgwennu. Gormod. Dim digon.

*Saved to drafts.*

Os na wnei di rŵan, wnei di byth. Dim ond un cyffyrddiad. Megis anwesu glöyn byw.

Ailymweld. Pendroni. Bwganod yn codi.

*Delete.*

# Iwan Rhys

ROEDD E WASTAD YN GWYBOD

## Dros yr Aber

Roedd e wastad yn gwybod. Oedd e'n deall hefyd? Ymbiliai ei lygaid tywyll, ei glustiau fel dwy gragen fawr uwch ei wyneb hir, a'i gynffon yn cyhwfan.

*Dere, awn ni am dro, i lawr dros y bont, a syth ymlaen am Borth yr Aur. Neu wyro i lawr i'r dde heibio i'r cefnau os yw'n well 'da ti eu hosgoi nhw. Ond awn ni at y Fenai sut bynnag. Dros bont yr aber, ac ar hyd y foryd. Dere, awn ni! Fe gerddwn ni'n syth i mewn i'r gwynt. Cregyn gleision yn deilchion ar hyd yr heol, a'r gwymon – O! – mor ddrewllyd o hallt. Ac ar y ffordd yn ôl, bydd y gwynt o'n plaid, a'r haul yn ein tynnu at wal yr Anglesey. Dere, awn ni nawr! Fe fydd popeth yn iawn wedyn. Ac rwy'n addo rhoi llonydd i'r gwylanod, os caf i greision.*

Estynnais ei dennyn.

## Dweud y Sgôr

Llwnc hallt o 'mheint i osgoi llygaid. 20, 20, 1.

*Mêt, ti gorod.* 20, 5, 19.

Sgrech sydyn y sialc. *Alla i ddim, dwi dal yn ei charu hi!* Trebl 20, 1, 20.

*Be am garu chdi dy hun, ia?* Bullseye.

Dwi'n llwch i gyd.

## Nos Lun

Es i ddim am beint heno. Rhoi *flight mode* iddi, a dim dagrau. Wnes i ddim ailagor y gliniadur ar ôl swper chwaith. Traed lan a llyfr eildwym fu hi, a phen bach cynnes, blewog ar fy mrest.

Rhoi'r ffôn i wefru o'r golwg yn y stafell sbâr wedyn, er i 'mysedd hofran uwch eicon yr awyren ar ôl brwsio fy nannedd.

Mae'n noson sobor o gynnes, er plygu'r dwfe ysgafn yn ôl i'r hanner. Anodd yw dychmygu cwsg fel hyn gydag olion fflip-fflops yr haul yn dal ar doeon y stryd gefn. Falle bod galw am storm arall.

Cawn weld beth ddaw ar gerrynt y ffôn yn y bore. Ond am heno, dwi'n sych.

# Couch to 5K

Paid â stopio. Dwyt ti ddim yn cael stopio.

Cip ar arddwrn, a dyna'r ffigurau bach digidol yn cropian yn boenus o araf tua'r llinell derfyn. Dere 'mlaen, dal i fynd. Un cam, cam, cam ar y tro. Cam am bob neges gas. Cam am bob cam â mi fy hun.

Anghofio togs rygbi, bola tost, hwyr o'r wers drwmped: fe chwiliwn i am unrhyw esgus ugain mlynedd yn ôl. Chwe mis yn ôl roeddwn i'n bêl o boen ar y soffa, calon mewn cwlwm, a'r byd i gyd wedi gadael.

Ond ymhen munudau, fe fyddaf i wedi rhedeg 5k, un cam ar y tro. A'i wneud i neb ond fi fy hun: yn yr ystafell newid, ar y soffa, ar y ffordd.

Un cam ar y tro. Paid â stopio.


# Y Gnoc

Rhoi'r tuniau i gadw yn y cwpwrdd oeddwn i pan ddaeth y gnoc, a'r cyfarthiad o rybudd diniwed o'r fasged i'w chanlyn. Llygaid chwilfrydig a phen ar dro. Stryffaglais ar fy nhraed, un dwrn yn glamp am ymyl y wyrctop a'r llall yn ffrwyno cwynion fy mhen-glin glec. Doeddwn i ddim yn disgwyl neb. *Paid ag edrych arnaf i*, meddai cloc y ffwrn gan godi'i ysgwyddau.

Wedi troi'r gornel o'r gegin, roedd lled-gysgod, llwyd ar lwyd, i'w weld drwy wydr cymylog drws y ffrynt. Sefais am ennyd a chydio yn esmwythder cyfarwydd un o goesau canllaw'r grisiau. Clywais arogl melys y polish, ac ymlaen â fi. Erbyn imi roi fy llaw ar grwman y gôt ar y bwlyn gwaelod mae'n rhaid bod yr haul wedi diosg ei gwmwl. Saethodd mil o belydrau fflamgoch heibio i'r amlinell yn y drws nes bod y cyntedd yn goelcerth.

Gwyddwn fod y ddolen yn wynias, ond cydiais ynddi a'i throi ac agor y drws led y pen.

Dyna hi. Cannwyll fy llygad, a dim syniad pwy oedd hi.

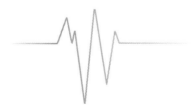

# MARI GWILYM

TEIMLODD BRESENOLDEB TAWEL Y COED

# Dryllio

Erydiad sy'n dryllio'n byd.

# Gorffwyso

Roedd y Gorffennaf gwych hwnnw yn tynnu at ei derfyn, a'r hen wreigen, oedd 'mhell dros ei deg a phedwar ugain, wedi mynnu hel y dillad i gyd oddi ar y lein a'u plygu nhw'n dwt – er nad oedd raid iddi. Wedi'r cwbl, mi fyddai'r ddynes llnau wedi gwneud hynny drosti. Ond cafodd foddhad o fustachu i gyflawni'r orchwyl fechan honno er gwaetha gwendidau ei chorff oedrannus, ac ymlusgodd yn fregus tuag at ei thŷ a'r bwndel dillad dan ei braich.

Yna, loetran wnaeth hi a llusgo'i thraed, gan y gwahoddai'r concrid cynnes dan ei gwadnau iddi roi ei chlun i lawr arno – petai ddim ond am hoe fechan. Ystyriodd hithau'r gwahoddiad am ennyd, ac yna'n ddiymdroi, ildiodd i'r demtasiwn, er iddi deimlo'n ansicr braidd gan ei bod hi'n lled-gofio rhywun yn ei rhybuddio na ddylai neb eistedd mewn haul tanbaid, ac y byddai'n ddoethach o'r hanner iddi fod tu mewn yn y fath wres, yn ymlacio ar gadair esmwyth yn y fan honno.

Serch hynny, chymerodd hi ond dau dro iddi ollwng ei chorffyn brau ar lawr yn ara deg yn sypyn lluddedig ar y llwybr llwyd. Wedyn arhosodd yno'n llonydd a llipa: mor ddisymud â sachaid o datws. Ac ymhen munud neu ddau, teimlodd don gysurus o ryddhad yn golchi drwyddi. Wedi'r cwbl, roedd cerdded wedi mynd yn fwrn arni'r dyddiau hyn.

Chwarddodd wrth iddi gyffelybu ei hun i ryw gyw deryn du hanner-pan, yn eistedd yn glewt a chegrwth ar ganol llwybr yr ardd gefn yn yr haul crasboeth, a'i phlu, neu ei dillad yn ei hachos hi, am ben ei dannedd yn y gwres, a'r pentwr golch glân, er gwaetha popeth, yn obennydd taclus a chysurus dan ei phen.

Cyn pen dim, roedd hi wedi gorwedd ar ei hyd, a chysgu'n braf.

## Gadael

Camodd allan ar riniog y drws yn y bore bach. Cymerodd ei gwynt ati wrth deimlo ias oer awel rynllyd y wawr yn ei chwmpasu. Gwrandawodd ar dawelwch cefn gwlad: murmur nant, bref a pheswch defaid ac ŵyn, ac o'r llwyn gerllaw, clywodd nodau rhybuddiol mwyalchen newydd gael ei styrbio . . . Ystyriodd hithau ennyd: roedd isio berwi'i phen hi am adael ffasiwn le, debyg. Gadael y nefoedd! . . . Yna twt-twtiodd a cheryddu'i hun am fod mor negyddol. Sgrytiodd ei meddyliau duon o'r neilltu am y tro, a gwthio cudyn o wallt o'i llygad. Plygodd i gydio yn ei bag. Caeodd y drws yn glep, a brasgamu ymaith.

Edrychodd hi ddim yn ôl – ddim un waith – wrth gerdded drwy'r pentre. Aeth yn ei blaen a rhyw sioncrwydd yn ei chamau. Ymledodd gwên fechan ar ei hwyneb effro . . . Ond pan gyrhaeddodd odre'r pentre, pylodd y wên honno.

Safodd yn stond yn ei hunfan wrth i banorama hudolus yr olygfa a'i hwynebai ei tharo: y bae, a phentrefi bychain glannau môr yn ymestyn yn bell, bell i ffwrdd. Ac wrth i godiad haul cynnes y dydd gael gwared yn raddol ar oerni'r nos, syllodd hithau draw dros yr erwau gleision ar odidowgrwydd yr olygfa o'i blaen . . . Trawyd hi gan y ffaith na fyddai'n debygol o weld y wledd weledol hon am amser maith eto.

Yna, cododd ei hysgwyddau, fel petai'n gwthio ymaith unrhyw ronyn o hiraeth tebygol a allai fygwth ei chynlluniau, a cherddodd ymlaen. Gwyddai y deuai iddi dro ar fyd – er gwell, er gwaeth – ymhen y rhawg.

## Y Coed

Cerddodd y gŵr ifanc yn sigledig a simsan tuag at y coed oedd yn gwigo'n glòs at ei gilydd ar dro cyfrin ym mhen draw'r cae. Ond welodd o mohonyn nhw . . . Sylwodd o ar ddim. Cordeddai ei feddyliau drylliedig drwy'i gilydd fel haid o nadroedd dan fwced.

Yn raddol, teimlodd bresenoldeb tawel y coed. Felly, ymhen y rhawg, dynesodd atynt. Ac wedi iddo gyrraedd y fangre, er gwaethaf ei deimladau gwyllt a chwilfriw, gorfododd ei hun – yn reddfol bron – i sefyll yn ei unfan mor llonydd â phosib i ystyried eu godidowgrwydd . . . Yn raddol, cyflymodd curiad ei galon mewn rhyw gynnwrf anghyfarwydd.

Ar amrantiad, brasgamodd i ganol y coed . . . Welwyd mohono fyth wedyn.

# Ofn

Roedd hi wedi'i chornelu. Doedd dim modd iddi ddianc. Carcharwyd hi mewn stafell fechan dywyll, laith gan anghenfil o gi.

'Dos o 'ma, dos o 'ma!' sgrechiodd. Chlywodd neb mohoni … Rhyngddi hi a'r drws roedd y llabwst gorffwyll yr olwg yn chwyrnu'n fileinig arni. Gallai daeru ei fod ar fin ei llarpio. Crynodd gan ofn.

Gwasgodd ei hun yn erbyn wal, a theimlodd leithder oer honno ar ei chefn drwy ddeunydd brau ei ffrog. Gwingodd … Chwyrnodd y ci arni yn fwy bygythiol fyth … Ceisiodd hithau anwybyddu arogl sur ei anadl a glafoer ei safn wrth iddo barhau i sgyrnygu arni drwy ddannedd egr …

Ymhen talm o amser, a deimlai iddi hi yn oriau maith ond a oedd mewn gwirionedd yn funudau'n unig, mentrodd y ddau edrych ar ei gilydd: y glöyn byw eiddil o ferch a'r erchyllbeth mileinig o gi anferth.

'Plis … gad fi fynd, gad fi fynd!' ymbiliodd dan ei gwynt, gan wylo'n hidl a thawel … nes iddi sylweddoli o'r diwedd bod y chwyrnu wedi peidio … a'r anghenfil yn fud.

# Marred Glynn Jones

DOEDD 'NA NEB YN GNEUD PWDIN REIS FEL MAM

## Clywed

'Ai angylion ydyn nhw?' gofynnais, a'r gerddoriaeth yn nofio'n bersain o amgylch fy llofft.

'Tyrd i weld,' medda Dad gan fy nghodi o'm gwely clyd. Cefais fy nghario at y ffenast. Fe'i hagorodd ac wrth wyro allan, be welish i yn ein gardd ni ond angylion yn canu am Iesu Grist yn fabi bach, am y Nadolig a phresanta.

'Angylion ydyn nhw,' medda fi wrth Dad wrth edrych ar eu sgarffiau yn chwifio'n llawen yn y gwynt. 'Ond ble mae'u hadenydd?'


## Blasu

Doedd 'na neb yn gneud pwdin reis fel Mam. Roeddan ni'n ei gael o bob dydd Sul ac roedd Dad a fi yn cwffio dros y croen. Fi oedd yn ennill gan amla (mae Dad yn glên fel'na), ac roedd y croen yn blasu fel y mwg ar noson tân gwyllt. Tydi Mam ddim yn byw efo ni rŵan. A dwi ddim yn cael llawer o flas ar y pwdin reis tun sy'n ymddangos ar y bwrdd amsar cinio dydd Sul.

## Gweld

Dwi wedi ei weld o, Mr Jones Tyn Giât, yn rhoi cic i'w gi. Hen gic hegar, slei. Doedd o ddim yn gwbod fy mod i yno. Ro'n i'n cuddio tu ôl i'r gwrych, yn chwarae bod yn *Secret Agent* fel James Bond. Ac mi wnes i feddwl, ydi pob ci yn cael ei gicio pan mae o'n mynd yn hen ac yn methu cerdded yn gyflym? Ac os felly, ydi hen bobol yn cael eu cicio hefyd?

## Arogli

Mae 'na ogla cinio dydd Sul ar y pridd tywyll. Dwi'n gorwadd ar fy mol yn y patsh mae Mr Wilias wedi bod yn ei balu. Gorwadd am oesoedd a sniffian y pridd yn awchus, gan feddwl am y tatws fydd yn codi o'i ddyfnderoedd du ac yn glanio ar fy mhlât cinio Sul, yng nghwmni'r cig a'r moron a'r pys a'r grefi. Mae 'na betha da yn dod o lefydd tywyll weithia.

## Teimlo

Pam mae Mam yn dal fy llaw i mor dynn? Mae hi'n gwasgu mor ffyrnig mae'n brifo. Mae'n gwrthod gollwng a thu ôl iddi dwi'n gweld dyn yn crio ar sgrin y teledu, ac yn sefyll o flaen rhyw dwmpath mawr du.

'Mae 'na lot o blant wedi cael eu lladd,' medda Mam, yn gwasgu fy llaw yn dynnach fyth. Ac wrth syllu ar y sgrin, a'r dyn efo sbectols sy'n crio, dwi'n meddwl, piti fod eu mamau nhw wedi gollwng gafael ar eu dwylo bach y bore hwnnw.

# ELINOR WYN REYNOLDS

WY'N GWELD CALONNAU YMHOB MAN, FI

# Ffenest Amser

'Ac os drychwch chi ar y sgrin, fanna, fe welwch chi'r galon yn curo.'

Mae hi'n troi ei phen ac edrych i ganol llygad y corwynt o symud ar y sgrin. All hi weld dim byd yn y storom o lwyd i ddechrau, ond yna, yng nghanol yr holl sgwishi a'r sgwoshi a'r troi a'r trosi, mae'n gweld rhywbeth sy'n neud rhyw 'ba-bwm, ba-bwm, ba-bwm' bach pendant. Curo, curo, curo. Dyma fi, dyma fi, dyma fi.

Doedd hi ddim wedi amau hyd nes iddo fe ddweud yn ffwr-bwt un diwrnod, 'Ti ddim wedi dod mla'n ers yn hir … ti'n feichiog, yn dwyt ti?' Gwadu nath hi i ddechre. Roedd hi am i bopeth aros yr un peth. Ond roedd hi'n gwbod yn ei chalon. Ac roedd y gwbod yna'n ddigon i'w llorio hi. Eisteddodd ar lawr y gegin am oriau.

'Paid â meddwl bo' fi am aros gyda ti, jyst achos bo' ti'n dishgwl.'

Nath hi ddim meddwl hynny. A nath e ddim … aros, hynny yw.

# Helfa'r Heli

Pan ti'n cerdded ar hyd y traeth, ti'n gallu ffindo'r pethe rhyfedda. Ma'r môr yn cadw cyfrinache dirifedi yn y dwfwn. Weithie maen nhw'n golchi lan ar y glannau a weithie – weithie, ma pobol yn ffindo nhw. Os y'n nhw'n lwcus, neu'n anlwcus . . . falle.

Wedodd hen ewythr i fi fod e'n cofio cwrdd â hen ddyn pan o'dd ynte'n blentyn, o'dd yn tyngu iddo fe ffindo môr-forwyn ar y graig lawr yn Ceibwr. O'dd e'n taeru'n ddu las a phiws. Wedodd e yr a'th e â hi gytre, ei chario dros ei ysgwydd, a'i rhoi hi mewn bàth o ddŵr y môr o fla'n y tân yn y gegin. O'dd e wedi cwmpo dros ei ben a'i glustie mewn cariad â hi achos welodd e neb prydferthach. O'dd e ffaelu â chredu'i lwc. Steddodd e a hi yn siarad hyd nes orie mân y bore, yn cyffwrdd calonne. Yna fe a'th e i'r gwely a'i gadel hi mewn twba o heli tan y bore. Ta beth, drannoeth, dath e lawr i'r gegin a gweld bod y bàth yn wag. Fe dorrodd ei galon yn y fan. O'dd hi wedi mynd. A'th e lawr at y môr i whilo amdani. A'th e bob dydd wedi 'ny, bob un dydd, nes ei fod e'n hen ddyn, ond welodd e fyth mohoni. Dreuliodd e weddill ei fywyd e'n cribinio'r gorwel gyda'i lyged a ffindo dim. Fuodd e fyw'n hir hefyd, druan ag e.

Y peth yw, do'dd e ddim yn teimlo trueni drosto fe'i hunan o gwbl, achos fydde fe'n gweud wrth unrhyw un fydde'n folon gwrando mai fe oedd y dyn mwya lwcus yn y byd achos bo' fe wedi caru'r fenyw brydfertha a fu erio'd.

# Cyfri

Pan gawn ni'n geni, dy'n ni ddim yn gwbod sawl curiad sydd yn ein calonnau ni. Faint wnaiff y pwmp cyn iddo ddod i stop. Pa mor brin neu ba mor helaeth yw'r nifer, wyddon ni ddim. Falle fod e'n lwc nad y'n ni'n gwbod pryd yn gwmws ddaw'r curiad ola hefyd, neu fe elen ni i banics, a chi'n gwbod beth sy'n digwydd pan ma rhywun yn panico.

Pan ges i 'ngeni, fe wedodd y meddyg wrth 'yn rhieni bod gen i galon wan, y bydde fe'n wyrth tasen i'n byw ymhellach na 'mhlentyndod. Wel. Os do fe. Fe lapion nhw fi mewn gwlân cotwm, yn benderfynol nad oedd dim niwed i ddod i fi nac i 'nghalon glwc. Fe weithion nhw'n galed yn 'y nghadw i'n fyw. Hyd nes i'r ymdrech fynd yn ormod iddyn nhw.

Buodd Dad farw rhyw fore Sul llwyd. Gafodd e drawiad. Cydio yn ei frest a chwmpo drosodd, a dyna ni. Wedi mynd. Gymerodd e amser i Mam ddod dros hwnna. O'n i'n meddwl ei bod hi wedi dod mla'n yn weddol, o'dd hi hyd yn oed wedi dechre wherthin eto. Es i lan un bore i'w deffro hi a 'na ble'r o'dd hi, yn stiff yn ei gŵn nos.

Dim ond fi sydd nawr, fi a 'nghalon wantan. Wy'n gorffod edrych ar ôl 'yn hunan. Ond fydd popeth yn iawn achos wy wedi penderfynu ychwanegu curiadau at 'y nghalon i. Wy am fenthyg curiadau o galonnau pobol eraill. Neb pwysig. Jyst pobol 'sneb yn becso amdanyn nhw. Fydd dim ots. Falle fydda i'n eu gwthio nhw dan fws, neu'n trywanu'n chwim gyda chyllell. Mi dynna i'r galon a'i dal yn boeth yn fy llaw, ei theimlo hi'n crynu ar 'y nghledr – mae'n ffito'n berffeth – ac yna mi gymra i hansh fawr ohoni.


## Sŵn yn Nwfn y Galon

Mae'n dywyll mas. Mae'n dawel. 'Sdim awel.

Ar y stryd, draw acw, mae menyw'n cerdded ar ei phen ei hun. All hi ddim clywed unrhyw beth heblaw am guriad drwm ei chalon ei hun yn ei chlustiau. Mae'n matsio'i cherddediad i'r curiad. A'r un yw'r sŵn yn ei chlustiau o hyd, yr unig sŵn, mae'n ei gorchuddio'n llwyr. Gall hi deimlo curiad ei chalon yn drybowndian yn ei phen. Does dim ots pa amser o'r dydd yw hi, mae'r curo'n dal ati'n ddi-feth, yn dyfal doncio. Mae hi'n cerdded yn sionc a chyrraedd adre'n ddiogel o grafangau'r nos.

Liw dydd, yng nghwmni pobl eraill, mae'n gwenu ac yn ymateb yn briodol i'w sgyrsiau nhw. Mae hi'n medru darllen gwefusau, wrth gwrs, a phawb o'r farn ei bod hi'n wrandawraig heb ei hail.

Mae hi'n deall y geiriau ond dim ond curiad ei chalon mae'n ei glywed. Mae'n gwenu eto.


# Dwynwen

Wy'n gweld calonnau ymhob man, fi. Ffaelu help e. Ma'n ffrindie i'n meddwl bo' fi'n sili. Yn ffŵl rhamantus. Ond 'sdim ots 'da fi. Wel, wy'n dwlu gweld calonnau.

Weles i flodyn a'i betalau'n gawod drist ar lawr wedi glaw, tusw o galonnau bach coch, bregus fel difaru.

Pan o'n i'n cerdded ar y traeth, ddes i o hyd i garreg fach oedd yn edrych yn gwmws fel calon. O'dd hi'n llyfn a hollol gymesur. Godes i hi a'i rhoi hi yn fy mhoced a'i mwytho hi yr holl ffordd gytre. Ma hi'n byw ar y silff ben tân, yn barod i'w rhoi hi i rywun.

Ffindes i greisionen siâp calon yn 'y mhecyn crisps i pwy ddiwrnod. Dryches i arni am hydoedd a phan fytes i hi, deimles i'r greisionen fach yn teithio drwy 'nghorff fel curiad cyson.

Achos wy'n gwbod, rhyw ddiwrnod, y daw calon arall i whilo am 'y nghalon i. Wy'n gwbod bod rhywun mas 'na'n aros amdana i. A rhyw ddiwrnod, ynghanol torf o bobol, fydd e jyst yn . . . ymddangos. A bydd yr holl wynebe'n toddi bant a dim ond fe a fi fydd yno. Dwy galon, un curiad.

# MORGAN OWEN

BU BRON I MI WELD GWLAD ARALL

# Nos/Bore

## I

Oedai yn y llwybr gwlithog, gwyfynog ar lan yr afon er mwyn gwylio adlewyrchiad y sêr ar y dŵr. Deuai holl synau'r noson hir o rywle arall, wedi'u hestyn yn garthen ysgafn a thryloyw dros bopeth ar yr un pryd. Roedd y byd i gyd yn teimlo'n agos iawn yng ngwacter y lled-ddüwch, hyd yn oed y mynyddoedd nad oedd e'n siŵr i ba wlad roeddent yn perthyn, a hwythau'n melynu dan leuad lawn. Drostynt byddai'r dydd yn codi a llusgo'r noson, a'r ŵyl, i'r gorffennol.

## II

Euthum i'r sarn yn y glasfore, a minnau heb gysgu wedi oriau o gydryfeddu yn stafell fawr y nos. Dygyforai'r lleisiau a'r wynebau yn fy mhen; gorweddai'r môr yn dawel. Bu bron imi weld gwlad arall yn cilio tua'r gorwel wrth i adar y glannau ddechrau stwyrian.

## III

Nid oes ffin rhwng y meini llwyd a'r wybren ar lwydoleuo, a thaera y gall weld gwadnau'r gwynt yn cydgerdded ag ef drwy'r stryd wag. Mae un bylb yn dylyfu gên mewn siop goffi ar y gornel. Mae'n croesi maes gwag y dref; gadawa i'r ddrysfa o lonydd cefn gynnig taith iddo wrth i weddillion y nos sibrwd yn y cilfachau a'r ceuffyrdd. Gŵyr fod ei galon yn ffoi rhag golau difreuddwyd y dydd. Aiff yn ei flaen ar drywydd neithiwr, yn ffoadur rhag pob yfory.

## IV

Roedd y daith yn hir ac anuniongyrchol, a chyrhaeddais adre mewn tywyllwch. Gallwn arogli'r haf, ac euthum i gysgu dan feddwl am yr hen dref fawr ar ei gwedd orau, yn ddeiliog ac yn las i gyd. Gadewais y llenni ar agor i ddeffro gyda'r wawr. Pan godais, cefais fod yr hiraeth oedd wedi bod yn brydio ynof dros y misoedd diwethaf wedi diflannu. Gwelais le cyfarwydd, do, ond ni olygai ddim imi bellach: nid oeddem yn rhannu iaith.

## V

Noson serloyw, a Chaer Arianrhod ar daen uwch fy mhen.
Roedd y llwybr i ben moel y mynydd yn fwy troellog nag
y cofiwn, ac yntau wedi ei amgáu gan ddüwch; symudai
rhithiau'r coed a'r perthi yn gynt ar ymylon llygedyn golau
fy llusern. Mae'r cwm islaw yn fwy heno, a'r tirlun wedi
chwyddo. Fel hyn, liw nos, mae adennill peth o rin y llefydd
hynny sydd wedi crebachu gan orgynefindra. Dyma ddiffodd
y llusern. Oedi. Dychmygaf sgwarnogod ar y waun yn niwlwe
golau'r sêr a'r lleuad gilgant, er na welaf fwy na brithwaith o
gysgodion. Rhywle yn y tawelwch mae glas y wawr yn aros.
Ni chysgaf heno, ar ôl dychwelyd i'r tŷ; darllenaf ac yfed
te. Cyn i'r dydd hawlio'r dref a welais o ben y mynydd oddi
arnaf, byddaf eisoes wedi gadael.

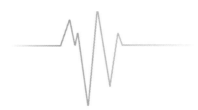

# LLIO MAI HUGHES

TAGIAD BACH YN ARWYDD NAD OEDD WEDI AILGYFARWYDDO'N IAWN

# Tendio

Wedi cipolwg ar y cloc i wneud yn siŵr bod digon o amser cyn i'w wraig ddod adref, dychwela i'w gweld yn gorwedd yno'n disgwyl amdano, yn fflawntio'i ffurf siapus a'i chroen llyfn yn sgleinio yng ngolau'r haul. Saif yn ôl am ysbaid, ei lygaid yn crwydro'n edmygus hyd bantiau ei ffigwr lluniaidd. Â'n nes, ei fysedd petrus o'r diwedd yn mentro cyffwrdd ei hesmwythder, yn ei hanwesu'n ofalus. Wrth weithio'i ffordd i fyny, gwasga, yn dyner, a'i chnawd yn bleserus o gadarn. Bydd, fe fydd hi'n fwy na pharod erbyn Calan Gaeaf.

# Rhydu

Tynnodd ei chardigan yn dynnach amdani, gan orchuddio'r patrwm glas a gwyn ar ei gŵn yn llwyr. Gwyliodd oleuni'r dydd yn pylu, fel petai un o'r nyrsys wedi sticio *syringe* yn yr awyr a thynnu'r holl liwiau ohoni. Yn raddol, daeth y düwch i'w hamgylchynu.

'Mae hi'n dechrau oeri, Wil. Y dydd yn byrhau. Mi fydd y gaeaf yma mewn dim.'

Trodd i edrych arno, ond doedd neb wrth ei hochr ar y

fainc. Edrychodd ar ei horiawr. Rhoddodd chwerthiniad bach wrth feddwl am ba mor hurt oedd y ffaith ei bod hi'n dal i'w gwisgo bellach. Byddai'n well iddi fynd yn ei hôl, meddyliodd, cyn i rywun sylwi nad oedd yn ei gwely. Gafaelodd mor dynn ag y gallai ym mraich y fainc er mwyn codi. Daeth peth o'r paent gwyn i ffwrdd a sylwodd fod ôl y rhwd ar ei llaw. Ymlwybrodd at y fynedfa, camodd drwy'r drysau awtomatig ac aeth, yn ddefodol, at y peiriant bach a oedd wedi'i osod ar y wal. Rhoddodd beth o'r *gel* gwyrdd ar ei dwylo a'u rhwbio gyda'i gilydd – ond roedd ôl y rhwd yn aros.

## Te Han'di Tri

Fesul un mae'r tŷ yn llenwi â chrio, â chlytiau budr, â chwerthin.

'Ga i un arall, Nain? Ma' Cai 'di cael tri.'

'Cei siŵr, 'mechan i . . . Be ti'n ddeud, Mali?'

'Diolch, Nain.'

A ffwrdd â hi mewn fflach i fyd y teledu, un 'sgedan siocled yn gyfoethocach.

Prynhawn poeth, a'r hogia'n yr ardd yn gwneud den.

'Tyd, Nain, tyd i helpu.'

'Ol reit, Deio, dwi'n dod.'

'Nain, watsia dy ben!'

Daw'r gaeaf a'i drwynau gwlyb, y taflu fyny a'r tagu. Daw Nain i'w hachub.

'Tyd rŵan, yfa hwn – diod sbesial, mi wneith les.'

Maen nhw'n gwella, yn tyfu, yn ffynnu, aeddfedu.

'Fydda i'm yma fory, Nain – gêm ffwtbol, *five aside*.'

'Na fi, Nain – gwers ddreifio, ond ddo i draw wedyn, os ga i amsar.'

Daw amser paned. Te han'di tri, a thician y cloc yn atsain.

## Laru

'I'll Be' gan Edwin McCain oedd ein cân ni. Roedd hi ar drac sain y ffilm gyntaf inni ei gwylio gyda'n gilydd. Ond wedi gwrando ar gân drosodd a throsodd mae'r geiriau'n colli eu hystyr a'r gerddoriaeth yn colli ei grym. Fydd 'na ddim ias yn llifo lawr eich asgwrn cefn chi wrth ei chlywed, na chroen gŵydd yn ymddangos ar eich breichiau. Yn hytrach na chân sy'n gwneud ichi gythru am y stereo i droi'r sain yn uwch, mae'n hi'n dôn gron sy'n mynd dan eich croen chi. Yn lle ei rhoi ar *repeat* 'dach chi'n ei rhoi ar *pause* neu'n estyn am y botwm *skip* er mwyn cael clywed y trac nesaf sydd ar frig y siartiau. Wedi cael llond bol o fynd trwy'r un broses bob tro wrth ei chlywed, byddwch yn gwneud y penderfyniad i'w dileu o'ch rhestr chwarae. Bydd hi wedyn yn diflannu i gronfa ddata o ganeuon na fyddan nhw'n cael gwrandawiad mwyach.

## Gwawrio

Tywalltodd gymaint o win ag oedd yn dderbyniol i'w gwydr, cyn mentro'n ei hôl. Cyfarchodd Huw a Sharon, aeth i longyfarch Siân a Paul ar enedigaeth eu plentyn, a holi Gwyn a Marged am eu gwyliau. Gallai synhwyro fod rhai yn ciledrych arni, ond erbyn hyn, roedd hi wedi adeiladu ei harfwisg i wrthsefyll unrhyw ymgais i'w threiddio. Wedi cael digon o edrych ar luniau mis mêl Alis a Rhys, aeth i'r gegin, gan esgus ei bod am nôl mwy o'r canapes, cyn sleifio allan trwy'r drws cefn. Taniodd ei sigarét, y tagiad bach yn arwydd nad oedd wedi ailgyfarwyddo'n iawn â'r hen arferiad. Eisteddodd ar y sedd siglo i ddau yn yr ardd. Am y tro cyntaf, sylweddolodd nad oedd hi'n malio nad oedd neb yno i rannu'r sedd â hi.

# CARON WYN EDWARDS

MOBEIL LLIWGAR YN GROG O'R NENFWD

## Dyhead

Roeddwn i yno'n rhinwedd fy swydd. Roedd o yno efo *hi*. Wedi'r darlleniad, tra oedd hi'n sgwrsio â'r awdur, cerddodd draw tuag ataf.

'Roeddwn i'n gobeithio y byddet ti yma,' meddai. Roedd ganddo lasiad o win coch yn ei law chwith, a mymryn o gynnwys y gwydr eisoes wedi staenio'i wefusau.

'Mae hi'n grêt dy weld.'

Ac yna rhoddodd ei law rydd yn ei boced, fel petai arno ofn beth arall a wnâi â hi.

## Egino

Fe'i ganed yng nghynhaeaf f'oes, a chofiaf ei gweld y tro cyntaf hwnnw, yn gorwedd yno'n un pwdin piws, fel plymsen gleisiog. Ac addewais, yn y fan a'r lle, i unioni camau'r gorffennol.

## Dadebru

Roedd o'n ddiwrnod fel pob diwrnod arall, y diwrnod y cerddodd 'nôl i'm bywyd. Ac yna doedd o ddim. Y bore hwnnw roedd gen i heddiw, yn brasgamu i mewn i'm fory hyd yn oed. A jyst fel'na, doedd dim ond ddoe.

'Haia.'

'Haia.'

'Dwi'n ôl.'

'Wyt.'

## Croesffordd

Roedd hi'n union fel y cofiai. Y trwyn fymryn yn rhy fawr, y llygaid ryw fymryn yn rhy agos at ei gilydd i gael eu cysidro'n brydferth. Roedd hi'n llawnach o gorff, ond toedden nhw i gyd, meddyliodd gan fwrw golwg i lawr at ei fol helaeth. Ugain mlynedd ers iddo ei gweld ddiwethaf. Dau ddegawd hir o hiraethu, a dyma hi. Yn rhannu'r un palmant ag o. Bron na allai ei chyffwrdd . . .

Canodd y ffôn yn ei boced. Meddyliodd am ei anwybyddu,

ond mynnodd ei gydwybod ei fod yn estyn am y teclyn a'i ateb.

'Lle wyt ti?'

'Mae'r traffig yn ddiawledig.'

'Wel paid â bod yn hir. Mae'r plant 'di cael te . . . Ti *yn* cofio 'mod i'n mynd allan heno?'

'Ar fy ffor'.'

Gydag un golwg olaf, trodd ar ei sawdl a 'nelu am y car.

## Huno

Dy wisgo'n dyner yn y gôt wlân, ôl gweill parod Nain Berth, cyn dy lapio'n ofalus yn barsel o flancedi. Rhyw led ymwybodol o ddiolchiadau Ifan, ei ffarwél â'r nyrsys, a minnau'n rhy brysur yn syllu ar y mymryn o'th wyneb sy'n sbecian o blyg y defnydd.

Cyrraedd adref a chludo fy nghargo gwerthfawr i'th ystafell gyda'i phapur wal llawn cymeriadau gwahanol hwiangerddi, cadair siglo'n y gornel ger y ffenestr, mobeil lliwgar ynghrog o'r nenfwd, teganau meddal yn un sw hyd y lle.

Hwiangerddi nas cenir. Cadair fydd yn eistedd yn wag. Mobeil na fydd fyth yn dawnsio.

Cau dy lygaid di-weld a'th roi i orwedd yn dy wely pren ger y crud unig.

Nos dawch, 'y nghariad i. Cysga'n dawel.

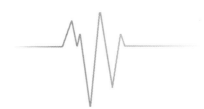

# LLŶR GWYN LEWIS

GWELAIS IMI FFOLI AR GHOSH

## Hughes a Ghosh yn erbyn y byd

*'Yn ystod tymor yr haf, [âi T. Rowland Hughes ac Eirene Williams] allan ar yr afon yn un o'r cychod-gwaelod-fflat, a chyda hwy, yn aml, yr oedd J. C. Ghosh, Indiad a sgolor, a oedd yn gweithio ar bwnc cysylltiedig â'r* London Magazine. *Yr oedd ei gyfeillgarwch â'r Indiad diwylliedig hwn yn werthfawr i Rowland yn Rhydychen ynghanol bywyd cymdeithasol nad oedd yn apelio fawr ato. Aeth â Ghosh adref i Lanberis yn ystod un o'r gwyliau, a mawr ydoedd syndod y trigolion wrth weld yr Indiad tal yn dod allan o 'Angorfa'. Ond methiant fu'r ymweliad. Roedd William Hughes yn ddi-ddweud, a mam Rowland, hefyd, yn anniddig gyda'r gŵr tywyll ei groen, a godai'n hwyr yn y bore, a drysu trefniadau'r tŷ i gyd.'*

— Edward Rees, *Cofiant T. Rowland Hughes*

## 1929: William Hughes, Angorfa, Llanberis

Oddeutu chwech ar gloch yn ystod yr ail noswaith, mentrodd Willie Hughes, mewn ffordd o greu sgwrs a dangos ei fod yn ewyllysgar, ofyn i'r ymwelydd a oedd yn gyfarwydd â *Thaith y Pererin*. Ei siomi a gafodd gan yr ateb. Nid oedd wiw felly iddo obeithio y byddai wedi clywed erioed am *Ganwyll y Cymry*, na chwaith y byddai modd cael sgwrs oleuedig â'r cyfaill am na Thestmant Hen na Newydd. Roedd golwg dyn angen copi o *Lyfr Pawb ar Bob Peth* ar hwn.

Ceisiodd y dyn ifanc ganddo yn dra chwrtais, ac mewn Saesneg tipyn mwy sgleiniog nag eiddo ef ei hun er mai iaith estron oedd honno i'r ddeuddyn fel ei gilydd, gynnau ei ddiddordeb yn y *London Magazine*, sef y cyfnodolyn yr oedd y gŵr ifanc wrthi'n ymchwilio iddo yn Rhydychen. Yr oedd Rowland ei fab, eglurodd yr ymwelydd wrth y tad, yn ymhél mewn maes lled berthnasol i'w faes yntau, a'r *London Magazine* yn ganolog i waith y ddau. A dyna sut, chwarddodd yr ymwelydd, y daethant i gwrdd â'i gilydd yn y lle cyntaf mewn difri: y ddau, drwy ffawd, wedi ymholi wrth yr un ddesg ar yr un pryd yn y Bodleian am yr un rhifyn yn union, a'r llyfrgellydd yn ymddiheuro yn gwbl seriws mai un copi yn unig oedd ganddynt, a thybed a fyddai'r ddau wrda yn fodlon rhannu?

Ond ni wyddai'r tad ddim am y *London Magazine* ac nid oedd am ddechrau ymholi yn ei gylch yrŵan, er clywed ei fab yn ei grybwyll unwaith neu ddwy.

Gofynnodd i'r ymwelydd a oedd hwnnw wedi clywed erioed am *Y Goleuad*. Nac oedd, oedd ateb yr ymwelydd ac arlliw o siom os nad tristwch yn ei lais, nid oedd erioed wedi clywed am hwnnw.

Cliriodd ei wddf. Yr oedd ei goes yn cwyno'n arw, ac nid oedd ganddo na'r awydd na'r ysbryd i godi fawr o'i gadair, nac i ymhél ymhellach â dangos wyllys dda. Bu fodlon cyhyd ar y tawelwch rhyngddo a May ei wraig; boed felly yrŵan hefyd ynta, rhwng y ddau ohonyn nhw a Tom a'r creadur od yma oedd wedi dod adra i Lanberis hefo fo, fel baw ar esgid. Mi gâi pawb oddef mewn distawrwydd efo'i gilydd, yn union fel yr oedd yntau wedi ei wneud ers blynyddoedd.

Taniodd William Hughes ei getyn, a throes yn ôl at ei Esboniadau.

## T. Rowland Hughes, Angorfa, Llanberis

Eirene, petaech wedi bod yma i weld. 'Nhad yn ei falchder yn syllu'n ei flaen, yn ffroeni a chlirio'i wddf, ei wefusau wedi'u pletio'n dynn a'i fwstásh yn gwrychio.

Mi wyddwn yn syth i mi wneud camgymeriad yn dod â

Ghosh yma: llygaid fy mam fel soseri yn ei phen. Mi safodd y tri yn syllu ar ei gilydd, fy nghyfaill druan yn gwenu'n ddisgwylgar. Mi ddeudas ryw eiria cynnes am fy rhieni, er trio torri ar y distawrwydd, ond mi ddaethon allan yn siwgrllyd a ffals. Yswn am gael dianc o'r tŷ, ond ar y stryd tu allan roedd y pentra cyfan wedi dod allan i rythu arno fo. Meddyliwch! Y fath gywilydd a deimlwn.

Pe gallwn i herio'u chwilfrydedd digywilydd . . . ond mi allwn mwya sydyn ei weld o'n glir drwy eu llygaid nhw. Ac o'i weld unwaith felly, allwn i mo'i ddad-weld. Rown i'n teimlo embaras ohono, yn ffieiddio at ei wên wirion, y modd y pefriai ei lygaid â diddordeb ysol ac eiddgarwch at bopeth o'i gwmpas. Petai o ond wedi gwylltio'n lân â nhw, fel roedd ganddo berffaith hawl i'w wneud, am eu hanfoesgarwch rhonc! Ac oeddwn, roeddwn i'n ei gasáu wedyn. Allwn i ond dyheu am gael dod yn ôl i Rydychen a'i ddiosg, ei wared yn llwyr am dipyn.

Mae fel pe bai rhyw len wedi'i chodi, oherwydd mi welais neithiwr fy rhieni hefyd o'r newydd: fy nhad yn falch a styfnig a'm mam yn greulon a ffroenuchel, a'r ddau yn hen, yn hen. Doedd ond angen i'r ddeufyd gyfarfod er mwyn chwalu rhith y ddau yn deilchion: gwelais imi ffoli ar Ghosh yn nhryblith ffôl fy nieithrwch a'm hiraeth; a gwelais fy rhieni yn hen a gwirion. Mewn gair, gwelais y tri ohonynt, fel ei gilydd, yn ddynol ac yn ffaeledig fel finnau.

Pa le i fynd bellach ond i fynydd? Oddi wrth syllu'r trigolion, pigo crach fy mam, peswch fy nhad, a mudandod dwl fy nghydymaith. Mi'i cymhellais i ddod hefo mi i fyny'r inclên, heibio'r chwarel a'i chabanau a'i chrechwen, i fyny draw at gopa Elidir Fawr, yn y gwynt a'r grug sy'n hidio dim am na lliw croen na pha awr bynnag o'r dydd y bydd dyn yn codi.

Dod lawr fu raid, yn ôl i'r fygfa, ymhen hir a hwyr. A phob eiliad rydw i'n dyheu, Eirene, am gael dŵad yn ôl oddyma atoch chitha, a pheidio dychwelyd fyth.

## Eirene Williams, Northmoor Road, Rhydychen

Rowland annwyl, peidiwch â chamddeall os dwedaf fod rhan ohonof yn falch fod y cen wedi'i dynnu oddi ar eich llygaid. Roedd bachgen o'm hardal a fu i fyny yn Rhydychen rai blynyddoedd o'm blaen wedi fy rhybuddio am y math o gyfeillgarwch a welais yn blodeuo rhyngoch a'ch ffrind.

Ni all cariad fel yna ond darfod: mae'r fflam yn llosgi'n rhy danbaid i wneud unrhyw beth ond ei bwyta ei hun, a marw. Ac wedi dechrau mor hy, maddeuwch i mi am ddweud na ddymunwn i chi fy ngharu innau yn yr un modd: os mynnwch fy ngharu, Rowland, gadewch bellach iddo fod yn gariad arafach, tynerach, mwy pwyllog a doeth na'r cariad a fu rhyngoch a Ghosh.

Cewch weld y bydd popeth yn disgyn i'w le drachefn pan ddewch 'nôl. Pwy ŵyr na fydd ei gyfeillgarwch, yn ôl yn ei gynefin naturiol, hytrach yn llai merwinaidd arnoch, yn haws ei oddef? Cewch barhau fel cydnabod, cyfoedion, nid parhau â'r frwydr a chithau'n gosod y ddau ohonoch i fyny yn erbyn y byd, fel petai hwnnw'n eich erlyn.

Os cewch drafferth cysgu heno, a'r tŷ'n glòs a thrymaidd, dychmygwch hyn: chithau'n dyfod ar dro ar bnawn Sadwrn i fyny o Southmoor Road draw i'm neuadd. Neidiwn ar ein beisiclau ac allan am dro i'r wlad, neu at yr afon ar y pynt: dilyn troadau Cherwell fyny at Marston, yna i lawr at odreon Isis. Neu i'r bwthyn ar lan yr afon yn Islip: Mrs Wiggins yn gweini arnom, tawelwch y tŷ a'r cloc, a'r adar oddi allan yn ein gwahodd yn ôl i'r haul. Y te, yr wyau wedi'u berwi – a'r deisen fawr gron ynghanol y bwrdd, na wiw i neb ei thorri byth! Ac wedi i'r hen wreigan droi ei chefn, direidi eich llygaid wrth gymryd arnoch lyfu gweflau dros y deisen waharddedig. Rhoi terfyn ar y diwrnod wedyn yn y Playhouse: un o glasuron Ibsen neu Chekhov.

Un dydd, os dymunwch, cewch ddod â minnau'n ôl i'ch cartref i gyfarfod â'ch rhieni. Fe wnaf fy ngorau glas i ddwyn eich tad i'r sgwrs – astudiaf *Daith y Pererin* yn drylwyr unswydd cyn dod – ac fe fwytaf bob tamaid o ba de bynnag y bydd eich mam wedi'i hwylio. A chaiff ein llygaid ninnau'n dau gwrdd uwch y lliain, cawn rannu gwên fechan ddisglair, ac yna cawn ddringo, dringo tua'r mynydd yn berffaith gytûn â'n byd.

Yr eiddoch,
Eirene

## May Hughes, Angorfa, Llanberis

'Dyma'r ddau berson gorau yn y byd,' medda'r gwas gwyn wrth eu cyflwyno i'r dyn. Ddeudodd hwnnw ddim yn ôl, ond gwenu'n wirion a chynnig ei law.

Dim ond eisio cael rhyw syniad oedd hi, be oedd eu cyn-llunia nhw tra oeddan nhw yma. Pa awr oedd o'n galw hynny i godi? Nhwtha'n ista'n aros amdano fo, a'r menyn yn ceulo.

Medda Tomi, 'Wyddoch chi, Mam, ei fod o wedi ei fagu ar fwyd llawn ryw sbeisys a hufan', fath â tasa'r lobsgóws roedd hitha wedi'i hwylio yn blasu fel llwch llechi. Mae o'n dŵad allan yn eu chwys, meddan nhw; erbyn yr ail ddiwrnod roedd hi wedi agor y ffenestri i gyd, a Willie'n cwyno bod yr oerfal yn deud ar ei goes o. Wedi hynny toedd hi ddim am fynd i drafferthu ryw lawar wir.

Roedd y Ghosh yma'n daer eisio mynd am dro, i weld y llyn a'r castall neu fyny'r Wyddfa. Ac eira'n dal i lynu at y topia, a fynta'n sgolor i fod. Eisio cael profi gwylltineb Cymru, ei chreigiau a'i hadfeilion. Fasa'n rheitiach iddo daro heibio i'r Prins of Wêls toc wedi'r deg ar nos Sadwrn.

Allai hi ddim help â chrybwyll wrth Mrs Wilias drws nesa ei fod yma, a phwy fedrai feio amball un am ddod i gael cip? Hwnnw'n codi llaw'n how-wylaidd, a Tomi'n styrbio a chochi a chrynu i gyd, ac yn hel y cyfaill odd'no cyn i neb gal cyfle i godi sgwrs. Anghwrtais braidd oedd hi'n gweld peth felly.

Triodd beidio. Mi driodd frathu'i thafod, cilio ac asio hefo'r papur wal. Pan oedd o ym Mangor mi fuasai'n taro heibio amball bnawn a dim wedi newid, fel tasa fo'n dal yn yr ysgol. Hyd yn oed pan ddeuai adref o Aberdâr, cyn pen dim roedd ei gartra'n ôl yn glyd amdano a fynta'n cythru at y bwrdd. Ond ers Rhydychen . . . fedrai hi ddim peidio â thendiad arno'n rhy eiddgar, ei siarsio'n rhy daer. Rywsut roedd hi'n beio'r – creadur – yma, am gymryd ei hogyn hi a'i droi o'n ddyn heb iddi fod yno i weld.

Pan ddaeth hi'n bryd gadael, mi soniodd, 'Gwell i ni'i chychwyn hi am y stesion rŵan, Mam, neu chyrhaeddwn ni byth adra cyn nos.' Mi gywirodd ei hun yn syth wrth reswm ond roedd y niwed wedi'i wneud, a'i chalon hithau'n deilchion ar lechen y gegin fel petasan nhw wedi'i thanio i fyny yn y chwaral.

## J. C. Ghosh, rywle rhwng Rhiwabon ac Amwythig

Annwyl rieni,

Nodyn byr a minnau ar drên yn rasio trwy ddyfnderoedd tywyll gwlad fechan o'r enw 'Cymru' yn ôl tua Rhydychen.

Bûm yn bwrw ambell ddiwrnod o wyliau yng nghwmni fy nghyfaill mynwesol, T. Rowland Hughes o'r coleg, a rhaid anfon gair atoch gan y teimlaf i mi ddyfod o hyd i'm cartref ysbrydol yn yr ynysoedd hyn – lle sydd yn f'atgoffa yn fwy na'r un arall o'm gwlad fy hun.

Cofiwch i mi sôn na allai f'ysgyfaint ddygymod â hinsawdd ferfaidd, gorsiog Rhydychen: y smwclaw llaith sy'n pylu cerrig melyn y colegau yn llwyd gormesol, a'r haul yn dod yn rhy anaml i'w heuro ar ogwydd cyn diflannu eto. Yn y pentref hwn, Llanberis, teimlwn fy mod wrth droed yr Himalaya drachefn, a'r gwynt yn dod i lawr o'r pàs i chwipio'n grychau hyd Lyn Padarn.

Ond nodyn byr oedd hwn, i fod: i grybwyll y croeso a gefais yno, fel pe bawn yn un o frenhinoedd Rajasthan. Daeth lliaws i'r stryd i'm gwylio a'm cyfarch pan gerddais allan o'r tŷ; ond nid oedd ar y bobl hyn ddim o ledneisrwydd ffals y Saeson. Llygadrythent, yn union fel y gwnaem ninnau pe bai gŵr dieithr, gwahanol, ecsotig efallai, yn dod i'n pentref ni. Gallwn weld Hughes druan yn cochi, ond hidiwn i ddim. Roedd yma weithwyr caled, yn ymgynnull ar y stryd i siarad, smygu, tynnu coes a rhoi'r byd yn ei le, nid pasio'i gilydd yn frysiog ffroenuchel.

Y tu mewn i'r tŷ, rhai cynnil eu sgwrs oedd Mr a Mrs Hughes, yn gysurus â distawrwydd, gan lefaru dim ond pan oedd rhywbeth gwerth ei ddweud. Mor braf oedd eu mudandod ar ôl ciniawa cyhyd â Saeson, sy'n gwneud uchel gelfyddyd o weu gwynt yn sgwrs. Yna'r te melys, llaethog, tri siwgr: nid te â lemwn fel mae'r Saeson yn ei gymryd.

Ar y diwrnod olaf, aeth Hughes â mi fyny i ben mynydd o'r enw Elidir Fawr, drwy'r chwarel, ac yno yn y cymylau a'r gwynt yn chwipio ni ddymunwn am bris yn y byd orfod disgyn a dal y trên yn ôl i leithder Rhydychen. Dymunwn gael dal i ddringo a dringo yn ei gwmni nes cyrraedd y troedfannau uchel a'r eira a phen y byd. Bron na ddywedwn fy mod, yno, am y tro cyntaf ers cyrraedd y glannau hyn, wedi profi ymdeimlad dyrchafol yr wyf ar fedr ei alw'n rhyw fath ar gariad.

# MEGAN ANGHARAD HUNTER

DWI'M YN COFIO PAM NESH I BENDERFYNU MYND AM JOG

@megan__angharad • Sep 23
wedi trio ffeindio gwybodaeth am derfysgoedd hil
caerdydd 1919 i sgwennu llên meicro a methu credu fod
cyn lleied o wybodaeth ar y we. fama ma'r ffynhonnell
ora: @1919raceriots efo linc at gyfoeth o erthyglau ayyb.
plis sbïwch arno fo; rhaid i ni gofio mai hanes
ydi sylfaen bywyd heddiw – heb hanes mae
strwythurau'n cymuneda ni'n dymchwel.

## RhodriGo

Dydi o ddim yn cofio sut cyrhaeddodd o yma; mae'r
generadur atgofion yn ei ben wedi bod yn camymddwyn
yn ddiweddar, ond does ganddo mo'r egni i ymweld â
mecanydd. Dydi o ddim yn gwybod sut y mae hynny'n
gwneud iddo deimlo, y diffyg egni hwnnw. Efallai fod angen
trwsio ei feddalwedd emosiwn hefyd.

Mae'n dringo'r grisiau cul at y drws sy'n disgwyl amdano,
cyn ei agor yn araf fel petai'n symud mewn triog.

Yn yr ystafell mae bwrdd, ac ar y bwrdd mae bocs; yr unig
wrthrych yn yr ystafell – ar yr olwg gyntaf, beth bynnag –

sydd heb orchudd o lwch. Cred fod y bocs yn edrych – yn wahanol i'w olion troed – fel tŷ yng nghanol niwl, neu hafan. Lloches. Harbwr ei ymadawiad at fywyd gwell.

Gosoda'i ddwy law ar y caead. Edrycha'n drwm; mae wedi'i saernïo o bren tywyll fel y bwrdd yr eistedda arno. Ysa am gael gwybod math y pren, neu ba goeden a aberthodd ei chnawd i'w greu. Ysa am gael gweld coeden eto, am deimlad rhisgl. Mae'n codi'r caead yn ofalus a does yr un smic i'w glywed o fetel y bachau. Yn wahanol i gymal ei benelin, meddylia.

Mae panel tenau o bren yn gwahanu cynnwys y bocs yn ddau hanner, ac un ohonynt yn wag. Yn yr hanner arall, mae gwawr nos ei hiraeth yn gorwedd mewn hances lliw tywod gwlyb. Mae'n gwasgu'r botwm o dan ei gesail nes iddo ddechrau fflachio'n goch – hoffai gredu fod rhythm y fflach-iadau hyn yn cyfateb i gyflymder curiadau calon – cyn i banel ei frest agor fel drws. Estynna am y pecyn yn y bocs a'i ddad-lapio. Anadla'n ddwfn â pheipiau rhydlyd ei drwyn; mae'n fwy hyfryd nag unrhyw beth y gallai ei eneradur ganiatáu iddo'i ddychmygu. Cwyd ei ddwylo at ei frest a gosod y galon – ei galon o, rŵan – y tu fewn iddo cyn cau'r panel.

A rŵan, rhywsut, mae'n disgwyl. Disgwyl iddo ddod ar draws beth bynnag – neu bwy bynnag – sy'n berchen ar yr hanner arall.

## Dyma pam dwi byth yn mynd am jog yn y parc byth eto

Nath 'y mywyd i ddechra gorffan pan nesh i benderfynu mynd am jog.

Dwi'm yn cofio pam nesh i benderfynu mynd am jog. Ella achos o'n i 'di byta paced cyfa o Doritos y noson gynt wrth sgrolio trw Instagram. Neu achos o'n i heb gysgu efo neb ers Mad Friday (do'n i ddim isio trio cofio'r tro dwytha i fi gysgu efo rhywun yn sobor!) a 'di dechra mwynhau rhaglenni David Attenborough gymaint nes creu defod o'r peth a mynd i'r gwely sawl gwaith y diwrnod i wrando ar felfed ei lais (CYWILYDD).

Ond mi nesh i. Mi nesh i fynd am *run*. Am 8:00yb mewn legings oedd seis rhy fach, *earphones* oedd 'mond yn gweithio trw'r ochr chwith a dau sport bra i sicrhau na fyddai'r weithred o redeg yn fwy o artaith na ddylai hi fod.

Dwi'n cofio gweld o'n pasio fi tro cynta efo'i *headphones* Bluetooth lliw mwsog a meddwl (yn gywilyddus o hunandosturiol): fydd dyn fel'na byth isio fi. Byth, byth, byth, achos dwi fel y Bounty. Nid jyst Bounty – *y* Bounty! Y Bounty ola mewn bocs o Celebrations.

Ond wedyn nath y boen yn fy mrest fy nifyrru, a nesh i anghofio amdano fo.

Ar ôl cyfnod oedd yn teimlo fel misoedd yn jyngl *I'm a Celeb* ond oedd 'mond yn saith munud yn ôl Strava, nesh i sylweddoli fod gen i ddau ddewis: ista lawr a goroesi neu barhau i redeg a llewygu gan obeithio 'sa'r dyn *headphones* yn digwydd bod yn pasio fi a neud CPR. Er i'r ail opsiwn hefyd gario'r risg o farwolaeth, roedd o'n opsiwn nesh ei ystyried o ddifri cyn cofio fod *Pobol y Cwm* 'mlaen y noson honno efo'r addewid o ddatgelu tad y babi; roedd *rhaid* i mi aros yn fyw am ychydig oriau eto. Felly; opsiwn un amdani.

Nesh i ddechra cerdded at batsh o wair dan goeden gysgodol, ond cyn setlo nesh i blygu drosodd i boeri. Doedd gen i'm syniad nad poer llaith, hyfryd oedd yn llenwi fy ngheg ond fflem gludiog oedd yn stribedu o fy ngwefus ac yn swingio ym mwythau'r awel. A *dyna* pryd glywish i o.

'Nia? Nia Turner? No we!'

*Headphones* Bluetooth lliw mwsog. Yn sbio reit arna fi, *fi*! Efo fflem yn hongian o fy ngheg a chalon un syrpréis bach i ffwrdd o'r bedd. *Ffyc.*


## Fel Adenydd

Ro'n i'n ddeg oed pan ddechreuais i dyfu adenydd.

Dwi'n cofio sefyll efo fy nghefn at ddrych mawr stafell Mam a throi fy mhen i sbio, i sbio ar yr un gyntaf. Y bluen gyntaf. Fy mhluen gyntaf *i*. Dwi'n cofio estyn llaw dros fy ysgwydd, gafael yn ei hasgwrn cefn tila a thynnu. Doedd yna ddim llawer iawn o waed arni, felly roedd yn hawdd i mi weld lliwiau'r ffibrau: fioled, oren, glas, gwyrdd, indigo, coch, melyn. Melyn *crème brûlée*.

Ar ôl sefyll yno am rai eiliadau yn crynu, 'nes i ei thaflu i'r bin gegin a thrio anghofio amdani am flynyddoedd, nes iddi *hi* gyrraedd. Fel yr haul wedi'i garcharu o fewn croen. Dwi'n cofio eistedd ar flaen sêt y bws ar y daith yn ôl o'r ysgol y diwrnod hwnnw, fy nghefn yn bigau drosto. Wedyn, ar ôl sicrhau fod y tŷ yn wag, rhedais i fyny'r grisiau at stafell

Mam a thynnu fy nghrys ysgol, fy nghefn at y drych. A dyna lle'r oedden nhw; dwy ohonyn nhw, yn sgrech o liwiau'n rhaeadru ohonof i. Doedd dim gobaith eu cuddio nhw wedyn – roedd rhaid i mi addasu.

> *Addasiad 1*: Torri dau dwll yn fy mag ysgol a'u stwffio trwy'r tyllau i'w cuddio.
> *Addasiad 2*: Anwybyddu'r chwerthin a'r sibrwd yn y stafelloedd newid rhwng gwersi ymarfer corff.
> *Addasiad 3*: Ei hanwybyddu *hi*.

Llwyddais i ufuddhau i'r addasiadau hynny tan yr eiliad hon. Rŵan. Ar gynffon noson feddw mewn toiled yn Wetherspoons efo *hi*, a dwi'n gweld – trwy ddefnydd tenau cefn ei ffrog – fod ganddi hi rai hefyd. Adenydd. Fel fy rhai i! A dwi'n eistedd ar y llawr heb boeni am wlychu fy sgert ddenim a'r dillad isaf newydd o Topshop achos dwi'n gwybod rŵan. Dwi'n gwybod fy mod i'n gallu cerdded trwy ddrysau trwm y dafarn – law yn llaw â hi – a hedfan.

**Tesni Lewis**

20 Awst

5 As, 1 B, 2 Cs, 1 D hapus efo results fi!! on i 6th form. Very pleased with results, 6th form next x

**Tesni Lewis**

28 Awst

Heddiw neshi ffindio allan fod dwi'n pregnant!!! Im pregnant! Cant wait to meet my little angel in April and start our lives together **Adam Wyn Jones** xxx

**Tesni Lewis** started job at **Morrisons**

6 Medi

# IESTYN TYNE

DAETH YN ARFER GAN PEREDUR I SGWRSIO Â'R PLANHIGYN

# Y Post

O'i gadair freichiau, mae Terence yn syllu ar y llythyrau'n disgyn blith draphlith drwy'r blwch post ac yn glanio ar ben y swp o rai ddoe sy'n dal i fod yno. Sŵn traed y postmon yn diflannu i lawr y llwybr wedyn; clic a gwich ac ergyd y giât yn agor a chau; ac yna'r un distawrwydd llawn sŵn sy'n llenwi tŷ gwag. Plant pell yn sgorio goliau; ci'n cyfarth yn rhywle. Tarmac yn toddi yn yr haul.

Mae llwch yn setlo ar y carped eto. Ar dop y pentwr mae cyhoeddiad lliwgar yn clodfori gwahanol nwyddau wedi eu haddasu sydd i fod i wneud bywyd yn haws i'r henoed; sgwteri, baddonau, cadeiriau, gwlâu.

Draw ar ben y piano, mae'r Terence arall yn gwenu trwy drigain mlynedd o wydr. Llun o ddau mewn du a gwyn; ei dwylo hi am ei ganol o ar gefn y moto-beic. Y ddau â'r haul yn sgrwnsio'u hwynebau'n ddyrnau.

Llusgo mynd mae pnawniau poeth, gwag; llusgo mynd hefo trywydd araf yr haul. Rywbryd, mae'r goliau'n tawelu, a mamau'n galw o ddrysau cefn â'u lleisiau'n llawn brechdanau, jeli coch a lemonêd. Weithiau, mae'r byd yn oedi i glustfeinio ar seiren yn y pellter; llygadu'r wybren las i chwilio am fwg. Yn rhywle, mae rhywun yn gwagio poteli neithiwr i finiau metel, ac yn gwylio planhigion pys yn moesymgrymu'n dawel.

Daw pry bach du drwy'r awyr boeth; teimlyddion meicrosgopig yn rhwbio yn ei gilydd wrth lanio ar ganol llygad Terence, sy'n dal i wylio'r blwch post.

# Y Mandolin

Daeth Gorwel draw rhyw bnawn gyda'r mandolin yn dynn o dan ei fraich, wedi ei becynnu mewn sach i atal y glaw rhag mynd ato. Roedd o am i mi ei gael.

Allai Gorwel ddim cadw'r mandolin. Roedd y gwddw gosgeiddig a'r pren llyfn yn codi bwganod rhyw siapiau eraill yn dragwyydd – y pant rhwng asen a chlun; hanner amlinell un fron. Rhedai ei fysedd dros y tannau weithiau, a difaru gwneud – roedd yr hen alawon yn troi'n wallt lliw cnau cyll yn ei ddwylo.

Wrth gwrs, allwn i ddweud dim ar y pryd. Ond wnei di ei gymryd o gen i? Fel ffafr. Mae'r un bwganod yn codi o dan fy mysedd innau, wyddost ti, a'r un gwallt yn rhaeadru trwy 'nwylo.

# Dydd Sul

Heddiw, mae hi'n ddiwrnod cyfri stoc; yn ddiwrnod coffi a chrwydro yn bell iawn i nunlla.

Mi goda i o'r gwely yma yn gywilyddus o hwyr, a'i lordio hi rownd y tŷ yn fy mhyjamas nes ei bod hi'n ridicilys-o'r-gloch. A phan goda i, wna i ddim trafferth cael cawod, na sychu 'ngwallt, na strêtno nac ymbincio na thylino fy hun i fowld y dydd.

Mi wna i fwyta bwyd neithiwr yn oer achos, wel, achos, ac mi gyrlia i'n ddwrn yng nghrombil y soffa efo nofel fendigedig o wael yn gwmni am weddill y dydd.

Pan fydda i'n sôn wrth bobl am fy ngwaith, maen nhw'n newid eu ffordd hefo fi. Mae o 'chydig bach fel y goleuadau'n dod 'mlaen mewn clwb ar ddiwedd noson – mwya sydyn, mae popeth yn fudur. Ac wedi hynny, fel pan fydd bachiad lletchwith yn dod i derfyn maen nhw'n cadw eu llygaid oddi arna i – yn siarad drwydda i, drosta i, y tu ôl i 'nghefn i . . .

Felly, mi gymra i heddiw yn ei holl ogoniant. Achos, waeth be ddwedwch chi am be dwi'n ei wneud am chwe diwrnod yr wythnos i gadw deupen llinyn ynghyd, mae fy nyddiau Sul i mor ddyddsulaidd â'ch dyddiau Sul hunanfodlon chi.

# Y Claf

Roedd Peredur Simmonds wrthi'n sychu ei sbectol am y seithfed waith mewn deng munud, ac yn troi i gyfarch y planhigyn rhyfedd a fu yn yr un pot yng nghornel ei ystafell ers deugain mlynedd, heb dyfu modfedd. Tybed ai'r un planhigyn a fu yno erioed? Dychmygai broses debyg i fochdew'r ysgol a fyddai'n ddi-ffael yn marw tan ofal un o'r disgyblion dros wyliau'r haf, a'r bochdew unionfath hwnnw fyddai'n cymryd ei le bob Medi, gan arwain athrawon i gredu eu bod yn berchen ar ffenomen anfarwol a wrthbrofai bob dadl fiolegol.

Daeth yn arfer gan Peredur i sgwrsio â'r planhigyn yn ddyddiol. Ni wyddai pa fath o blanhigyn ydoedd, ond doedd hynny ddim o ddirfawr bwys. Pe bai rhywun am ysbïo arno – chwarddodd ar y syniad hwnnw – yna plannu meicroffonau ar y planhigyn hwn fyddai'r ffordd orau o'i wneud. Ni chofiai i'r planhigyn gael ei ddyfrio erioed.

Roedd o heb ddweud wrth y planhigyn ei fod o'n ymddeol heddiw. Ond fe ddeallai hwnnw yn iawn fod heddiw'n ddiwrnod gwahanol i'r arfer. Gwisgai Peredur dusw bychan o flodau llachar ym motwm uchaf ei siwt. Tystiai'r cwmwl o oglau cemegol-felys a'i dilynai fod heddiw'n ddiwrnod gwneud ymdrech.

Roedd hi'n ddiwedd pnawn. Roedd yr ystafell fechan yn orlawn o gardiau a blodau. Ac roedd un claf yn weddill ar y diwrnod ysblennydd hwn. Doedd dim tristwch – dim ond cyffro ansicr, bachgennaidd – ar wep Peredur Simmonds wrth iddo sychu ei sbectol am yr wythfed waith a'u hailddodi ar ei drwyn.

Daeth cnoc ar y drws.

## Y Pla

Roedd y pla arni hithau hefyd, felly. Ac o wybod, roedd hi'n ei deimlo fo reit i lawr yng nghanol ei chanol yn dechrau anesmwytho.

Bu allan yn gynnar y bore hwnnw. Gwyddai na welai neb; y strydoedd yn fynwent o frics a morter a hysbysebion y dydd yn sgrechian yn dawel trwy'r gwyll. Crwydrodd am awr, dwy efallai, nes iddi weld rhywun yn mynd heibio, a phenderfynu troi wedyn am adref.

Roedd y sgowt foreol yn hen arfer ganddi. Bryd hynny, fe

deimlai'n nes rhywsut at bopeth; yn fwy agored i niwed ac o ganlyniad yn fwy byw – ac nid oedd heddiw'n wahanol. Ond wyddai hi ddim bryd hynny fod y pla arni hi.

Daeth yn ei hôl at y tŷ pan oedd y dydd yn ystwytho; babis yn crio a photeli llefrith yn malu, ceir yn gwrthod tanio a phobl unig yn wancio mewn cawodydd. Roedd croesi'r trothwy wrth ddychwelyd yn brofiad newydd bob tro. Heddiw, roedd yr haul yn euro'r grisiau fel na welodd hi o'n gwneud erioed o'r blaen, ond wyddai hi ddim bryd hynny fod y pla arni hi.

Ysgrifennu wedyn. Bob dydd, fe ysgrifennai; weithiau'n chwydu rhai miloedd o eiriau blith draphlith ar hyd pentyrrau o bapurach, a thro arall yn treulio oriau yn turnio ychydig ymadroddion yn gelfyddyd gain. Ni wyddai'n iawn weithiau am beth yr ysgrifennai, ac nid oedd neb wedi darllen ei geiriau erioed. Y bore hwn, teimlai fod yr ysgrifennu'n mynd yn dda, ond wyddai hi ddim bryd hynny fod y pla arni hi.

Pan ddaeth y pla ar y ffôn i roi gwybod iddi ei fod o arni, roedd y bore mor braf nes y bu iddi chwerthin – llawenhau, hyd yn oed – fel petai o'r newyddion hapusaf iddi ei dderbyn ers tro byd. Ac nid nes iddi roi'r ffôn yn ôl yn ei grud a berwi wy ac eistedd ar y grisiau i'w fwyta fo y teimlodd hi'n barod i ystyried y ffaith fod y pla arni hithau hefyd, felly.

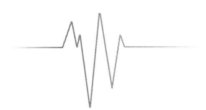

# Meg Elis

EIN STAFELL NI YDI HON

# Pum Stafell Cariad

MYND AM BYTH 1

Lle braf ydi'r byd yma. Fi a Bwffyn sy'n byw ynddo fo, a Mam ac Antimari ac mi fyddwn ni yma am byth. Mae 'na ffenast sy'n sgleinio ac yn gneud i wallt Mam sgleinio hefyd. Mae Mam yn symud o gwmpas, a dwi'n medru ei gweld lle bynnag mae'n mynd yn y byd. Mae Antimari yn smalio gafael yn Bwffyn i siarad efo fo, ond dwi'n gafael yn galetach achos efo fi mae Bwffyn yn licio siarad; mae Antimari yn chwerthin ac yn ei ollwng o a gadael i fi a Bwffyn siarad efo'n gilydd. Rŵan mae Antimari yn siarad efo Mam ac yn deud petha fel dilladarylein a sychuasmwddio ac mae Mam yn nodio ac mae Bwffyn yn nodio hefyd.

Ac mae Mam ac Antimari yn sbio drwy'r ffenast sy ddim yn sgleinio bellach ac mae'n dywyll ac mae 'na ddŵr yn lle'r sgleinio, ac maen nhw'n agor drws y byd a mynd allan ac maen nhw'n mynd, maen nhw'n mynd, wedi mynd am byth.

## SYMUD YMLAEN

'Fydd yna ddigon o le i dy betha di i gyd, d'wad, jest mewn un stafell fach fel hyn?'

'Ddim efo bob dim ddaru chi bacio, Mam – gofioch chi sinc y gegin, do?'

'Dim angan sinc a lle mor grand – yli *en-suite* a bob dim. Dipyn gwahanol i fel roedd petha yn ein dyddiau coleg ni: ti'n cofio, Gwenan, yr hostel 'na yn dy ail flwyddyn di, a'r gwlâu efo'r sbrings —'

'Symud y ces yna, wir, cyn i rywun faglu drosto fo.'

Symud ar draws ei gilydd, rhwng ei gilydd, a hithau yng nghornel yr ystafell yn llonydd. Yn syllu.

'Hyn o silffoedd llyfra sydd yma? Fydd yna le?'

'Mae pob dim ar gael ar-lein y dyddia yma; does dim angen llusgo'r bocseidia trwm o lyfra, mi gaiff sbario hynny. Petha'n newid, sti. Symud ymlaen, a symud efo'r oes.'

'Os ti'n deud.' Mae hi yn dal yng nghanol yr ystafell, yn gyndyn i symud. Fynta'n stwyrian. A hithau yn y gornel o hyd. Yn cynllunio.

'Hen bryd i ni'i throi hi rŵan: mi fydd yna gant a mil o betha i'r hogan neud, a fyddwn ni ond dan draed.'

'Ia, well i ni fynd, debyg. Cofia di rŵan, os bydd yna rwbath . . .'

Geiriau'n hongian yn yr ystafell gyfyng, eang.

A hithau yn y gornel. Yn breuddwydio'i byd.

## MEDDIANNU

Ein stafell ni ydi hon, ein neuadd fawr, ein stafell ddirgel, dangos dy ddirgelion i mi, cariad; ein closet, ein stafell saff, ein twll dan grisia, ein grisia i ddringo i fyny i'r nefoedd. Ella mai Stafell Gynddylan sydd drws nesa, ond clywch, rydan ni wedi clepio'r drws ar y tywyllwch, wedi tynnu'r bolltiau yn erbyn y diflastod fel na fydd modd i anobaith dreiddio i'n stafell ni, nid stafell aros mo hon, rydan ni wedi cyrraedd, goleuni sydd yn stafell ein haul ni, yn llenwi'r lle, stafell y digwydd ydi hon lle mae pob dim yn bosib: creu, crafangu, *sauna* o stafell efo chwys ein chwant yn diferu hyd y muriau. Stafell sy'n chwerthin, yn sylfaen i hwylio ohoni i goncro'r byd a'n traed ar ddaear y stafell hon am byth, i newid y byd, i'n cau ni i mewn, yn gneuen, yn gnewyllyn, i ni yn unig, ac i bawb, i agor allan, i ledu adenydd, i hedfan. Stafell ein creu; ei dodrefn, ei drysau, ei styllod a'i nenfwd, ei llenni, ei lluniau, ei gwely, ei gwely, ei gwely.

Rŵm sbâr ddigon neis, tydi?

## CYFARWYDD

Cardigan ydi'r stafell yma. Hen un, allan o ffasiwn os bu hi mewn ffasiwn erioed. Mae modd llithro iddi, yn gyfforddus am ei bod hi'n gyfarwydd. Fe ddywedwn nad ydi wedi newid, ond y mae hi, wrth gwrs. Yn raddol, mae llinellau llyfn y dilledyn wedi newid, y pocedi wedi bochio ar ôl blynyddoedd o wthio fy nwylo i'w dyfnder saff. A haul blynyddoedd wedi pylu patrwm y papur wal, ond pa wahaniaeth, mae'r patrwm yn rhan ohonof, mor loyw heddiw â'r diwrnod y gwnaethom ei ddewis.

Buasai ailaddurno'r stafell yn syniad da; dyna oedd awgrym caredig un o'r plant, a dyna mae plant yn wneud, wrth gwrs: ailaddurno, symud ymlaen a newid. Ond yr hyn sy'n gyfforddus i mi bellach yw newid y lluniau yn unig, ychwanegu atynt yn ôl y galw. A'r lluniau sy'n newid ac yn prifio, yn wastad yn erbyn cefndir cyfarwydd y papur wal.

Yn gysur. Cyfarwydd. Cyfforddus.

Fel ninnau.

## MYND AM BYTH 2

Ei byd bach yw ei gwely. Saernïwyd y fatres i'w chadw'n gyfforddus, i'w symud, i addfwyn newid ei hystum a'i hosgo a hithau wedi mynd y tu hwnt i bob ystum. Mae symudiadau'r gwely mor rhythmig reolaidd ag anadlu: mae'r gwely'n anadlu'n uwch na hi.

Byd bach y stafell hon lle bu'n byw ei bywyd. Daeth popeth a phawb yma, ac yma y maen nhw o hyd, yn y llyfrau a'r lluniau a'r patrymau cyfarwydd, yn yr atgofion sy'n llenwi'r ystafell ac yn hofran yn garedig uwchben ei byd bychan, uwchben ei gwely, yn angylion goleuni.

Ac y mae hi'n mynd, yn mynd, wedi mynd am byth.

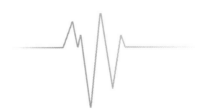

# Rhiannon Lloyd Williams

PWY SYDD WIR YN GWEITHREDU AR EIRIAU DUW'N LLYTHRENNOL?

## Dechrau'r Diwedd

Nid oedd y düwch yn synnu Fernando. Yn wahanol i weddill poblogaeth y byd, roedd e wedi ei ddisgwyl ers tro bellach. Ers canrif, roedd y gwyddonwyr yn pregethu pe na bai dyn yn newid ei ffordd, y byddai'r byd yn dod i ben. Yn darfod.

Dechreuodd yn araf. Parhaodd y nosweithiau'n hirach. Ymddangosodd yr haul ychydig yn llai bob tro. Diflannodd y tymhorau, ar wahân i'r gaeaf. Ac yn sydyn, ar un bore annioddefol o oer, ni chododd yr haul o gwbl.

Wrth i'r byd ddeffro i ddüwch parhaol, yr unig beth ar feddwl Fernando oedd yr angen i rannu ei brofiad o'r apocalyps ar y rhyngrwyd feddyliol gan ei osod ei hun yn ganolog i ddiwedd y byd.

## Düwch

Amser. Petawn i 'mond gyda mwy o amser. 'Sdim digon ohono er mwyn i fi allu clirio'r holl lanast cyn i'r un nesa ddod. Ble ma' Julie yn cadw'r *disinfectant*, dwed? 'Oedd' yw'r gair cywir, dim 'mae'. Ble o'dd hi'n cadw'r peth afiach o ddrewllyd? Pe byddai'r ffarwél 'mond 'di para chwarter awr yn llai bydde 'da fi fwy na digon o amser i guddio popeth yn y cwt dan staer. Dyna fe. Pwy yn ei iawn bwyll sy'n cadw *disinfectant* o dan y staer? Pwyll. Twyll. Yn feistres ar un ac yn echrydus 'da'r llall.

Torrodd hi bopeth gan gynnwys pob addewid. Dyna pam roedd yn rhaid iddi fynd. A finne, pregethwr y pentref, y dyn parchus, heb dorri gair na thorri gwynt yn ei chwmni ers ache. Pe bawn i'n gallu troi'r cloc yn ôl, bydde fi 'di cymryd pob cyfle i rechen yn ei chwmni. Pe bawn i'n gallu troi'r cloc yn ôl, bydde fi ddim 'di ei phriodi yn y lle cynta. Pe bawn i'n gallu troi'r cloc yn ôl, bydde fi'n ailchware'r munude ola drosodd a throsodd. Amser sydd bia popeth. Heblaw fy nghalon, fi pia honna. Torrodd hi honna hefyd.

I fi ma' 'na adnod i bob achlysur. Caru eich cymydog fel chi eich hun. Pwy sydd wir yn gweithredu ar eiriau Duw'n llythrennol? Hwnna roddodd gychwyn a diwedd i'r cwbl. Doedd dim byd galle hi 'di dweud i newid ei ffawd. Lliw digon tebyg i win cymun oedd ynddi a honna 'di peintio'r stafell fyw yn ei heiliadau ola. Damo! 'Mond chydig o eiliadau sydd nes i'r ysglyfaeth nesa gyrraedd i drafod diwedd y byd. Ble ma'r gyllell i dorri'r gacen wedi mynd? Amser puro'r byd.

## Deuddydd o Ddüwch

Cnodd Isabella ei gwefus heb feddwl. Blasodd y gwaed cyn rhoi darn arall o losin yn ei cheg. Roedd y sioe ar fin dechrau. Dechreuodd y perfformiad heb ddeialog ac nid oedd ei hangen, roedd wynebau'r dynion o'i blaen yn dweud y cyfan. Nid oedd yr un ohonynt eisiau bod yno ond roedd yr ysfa ynddynt i oroesi'n ormod. Yn sydyn, heb rybudd, tynnodd un gyllell o'i boced a thrywanu'r llall yn y fan a'r lle. O flaen siop ei rieni, bu farw dyn a adnabuwyd fel doctor y pentref yn ei fywyd blaenorol, ac o'r siop honno, enillodd y llall swper i'w deulu.

Caeodd Isabella y llenni. Roedd gormod o realiti'n beth drwg y dyddiau yma.

## Cariad Du

Dydd Gwener, 28/12/2120, 21:37

Nes i weud 'ie' cos ni gyd am farw eniwe xo

# Y Diwedd

Yn eu parau heidia pawb i mewn i'r arch. Eu hachubiaeth. Y Noa newydd yn croesawu pawb ar y sgrin uwchben y drws. Hyd yn oed ymysg y cyfoethog, mae rhai'n fwy cyfoethog nag eraill a phawb â'u priod le yn yr arch. Cymer pawb eu pac gofod a mynd i'w seddi heb feddwl eilwaith am yr hyn maent yn ei adael ar eu hôl. Derbynia pawb, ar wahân i un dywysoges, chwistrell er mwyn cysgu nes byddant yn cyrraedd pen y daith. Wrth i bawb gwympo i drwmgwsg a fydd yn para blwyddyn gyfan, sylla'r dywysoges allan drwy'r ffenest ar y ddaear ddu oddi tanynt. Meddylia yn sydyn am holl feiau dynolryw a pha hawl oedd ganddynt i ailddechrau.

Gwelwyd, o'r ddaear y noson honno, un o'r sêr gwib mwyaf yn hanes y bydysawd.

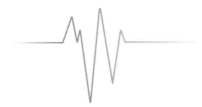

# ALED JONES WILLIAMS

'BE TI'N DRIO NEUD, DIFETHA 'MYWYD I?'

# Gwaith Dosbarth

Bl. 5. Grŵp Alaw

Thema: Cariad (Detholiad)

## 1

'Chdi dwi'n 'i garu, Mags, nid y ffycin hogyn 'na,' dwi'n glwad o'n 'i ddeud wrth Mam a slamio drws. Ac amsar swpar oherwydd 'mod i 'di deud nad o'n i isio i'r bîns dwtjad ymyl yr wy a'r bîns 'di gneud, ma' Mam yn gweiddi arna i, 'Be ti'n drio neud, difetha 'mywyd i?'

*Siôn*

## 2

Mae o fel 'da chi isio bwyd yn ofnadwyofnadwy a 'da chi'n clwad ogla tjips a 'da chi'n mynd yn ecseited i gyd. Mae o fela dwi meddwl. Ond 'swn i ddim isio finag ar y tjips.

*Lowri*

## 3

A 'mond Dad a fi a'r dreifar yn y car yn dŵad o fynwant. Ac ar lawr jyst o dan sêt y dreifar ma' 'na un bedol las conffeti.

Ac ma' Dad yn 'i chuddiad hi hefo blaen 'i esgid. Ond dwi 'di gweld.
*Eleri*

## 4
A nath o ofyn os o'n i isio gwatjad ffulm 'efo fi eto i chdi gal dysgu mwy', nath o ddeud.
*Rhodri*

## 5
Odd Mam yna a chwaer fawr fi a brawd bach newydd fi a odd Dad 'di cal pyrmishyn i ddŵad hefyd a odd yr eis-crîm 'di toddi hyd law Nain i gyd heb iddi hi sylweddoli a nath hi chwerthin a ni gyd chwerthin wedyn be ti'n da yma medda hi yn llyfu'i llaw Llandudno nain tin sefnti ffaif fel y pynsh an jiwdi medda hi ar ôl hynny ac y gacan!, nath Mam 'i weiddi.
*Alaw*

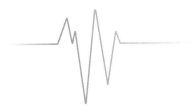

# MIRIAM ELIN JONES

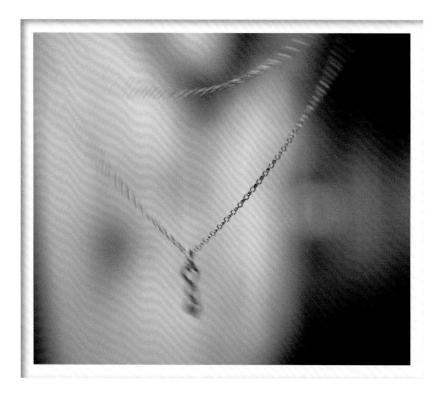

'NGWDDW I'N NOETH AC YN DDIAMDDIFFYN

## Diffyg Signal

Mynd, o raid, ar wyliau, ac ymlwybro'n araf wrth gwt clamp o garafán rhwng Dolgellau a Dinas Mawddwy. Y weipyrs yn symud 'nôl a 'mlaen, 'nôl a 'mlaen yn ffrantig yn trio ffurfio ffenest glir o'n blaenau. Yn yr hollt rhwng dau fynydd, sylwais fod statig y radio'n taranu dros ein tawelwch.

## Mwclis

Sleifiaist tu ôl i mi'n dawel a bwrw ati i glymu'r tsiaen yn dynn rownd fy ngwddf. Plannu cusan ar y clasb wrth ei gloi. Sibrwd, 'Paid byth â'i thynnu, mae'n brawf o'n cariad ni.' Meddwl dim nad oedd gennyt tithau fwclis tebyg i'w dangos i bawb yn dystiolaeth o'r berthynas.

Roedd ei diosg yn y diwedd – er gwaetha'r cwbl lot – yn teimlo'n od. 'Ngwddw i'n noeth ac yn ddiamddiffyn. Yr hen ddefod o'i gwisgo'n ddyddiol wedi stico. Finnau'n estyn amdani'n reddfol, cyn cofio. Diawlo braidd wedyn ei bod wedi tyfu'n rhan ohona i.

Duw a ŵyr pam gymerodd hi dri mis i mi weld sens. Bryd hynny fe gydiais ynddi. Ei thaflu gyda phob owns o gryfder oedd 'da fi. Rhoi ffling iddi mas drwy'r ffenest a ffarwelio gyda 'FFYC OFF' balch i'r blydi thing fuodd yn fy nghrogi am gyhyd.

Ac am y tro cyntaf ers sbel, gwenais wrth deimlo bysedd yr awel braf yn gynnes ar fy ngwar.

## Jig-so

'Pwyll pia hi, Rhian fach.' Roedd geiriau Mam-gu'n mynnu ei chellwair, wrth iddi geisio tynnu'r darlun mawr ynghyd. 'Edjo rownd yr ochre, yn slow bech . . .' Ar wal gefen rhyw glwb nos ddaeth hi o hyd i Nathan a phenderfynu pronto ei fod yn ddigon da a mynnu priodi ASAP. 'Wedyn llenwi'r darlun mowr yn y cenol. Digon o fynedd nawr . . .' Blydi poen tin. Cnodd Rhian ochr un o'r darnau a'i phoeri i'r llawr, cyn ei wthio i ffitio gyda darn nad oedd yn gymar naturiol iddo. Syllodd ar y jig-so o'i blaen a'i weld yn ddim byd ond pentwr o ddarnau anhapus blith draphlith, yn edrych dim byd tebyg i'r ddelfryd oedd i'w gweld ar glawr y bocs. 'Ffyc it!' ebychodd Rhian, gan fodloni eto fyth ei fod yn hen ddigon da.

# Gwenu drwy'r Gwres a'r Glaw

*'That's when you know you've found somebody special. When you can just shut the fuck up for a minute and comfortably enjoy the silence.' –* Mia Wallace, *Pulp Fiction*

Doedd hi ddim yn toddi'n chwys oer pan oedd y sgwrs yn sychu'n grimp, ddim y tro hwn. I weud y gwir, roedd hi'n mwynhau eistedd yno'n dawel a theimlo'r gwres rhyngddynt. Teimlo blew mân ei fraich yn coglis yn ei herbyn a'i jest yn codi a gostwng gyda phob anadliad wrth gwtsio'n gwylio *Corrie*. Doedd ganddi ddim ofn rhagolygon y tywydd, doedd ganddi ddim ofn gweld pethau'n newid. Ddim y tro hwn. Roedd 'na gawodydd gwyllt o eiriau cariadus i'w gwlychu'n stecs ar y ffordd, a sicrwydd ym mêr ei hesgyrn am y tro cyntaf eu bod nhw ill dau yn barod i wynebu pob tywydd.

# Dyfodol Arall

O'i gweld eto, yn annisgwyl yn yr eil ffrŵt 'n' fej yn Tesco, sychodd ceg Elfyn yn grimp ac ni fedrai yngan 'Helô', heb sôn am holi am ei hanes. Wyneb yn wyneb â hi fel'na, y ddau'n cochi ac yn swil i gyd, roedd hi'n anodd credu iddynt dreulio tair blynedd mewn perthynas. Anodd credu iddynt fyw yn berffaith gytûn ac edrych 'mlaen at fagu teulu a bloneg yng nghwmni ei gilydd am byth.

Roedd hynny gryn dipyn yn ôl bellach ac roedd meddwl am y dyfodol yna na fu yn dal i yrru ias i lawr ei gefn. Llwythodd Elfyn faged o danjerîns i'w fasged a chamu'n lletchwith heibio iddi. O gyrraedd adref, a'i hwyneb yn dal i'w ddilyn fel cysgod, aeth at ei gyfrifiadur, mewngofnodi i'w gyfrif Facebook a phendroni a oedd 'na ddau debyg iddynt mewn bydysawd cyfochrog yn dal i fod 'Mewn Perthynas' ar eu tudalennau proffil. Roedd hi bellach mor, mor ddieithr. Yng nghornel top y proffil, gwasgodd y botwm 'Unfriend' di-droi'n-ôl – gresyn nad oedd dileu ei orffennol yr un mor rhwydd.

# ANGHARAD ELLIS

A'R GOBAITH Y BYDDAI'R GEINIOG HONNO'N . . .

# Edefyn Rhydd

Ma'n debyg ei fod o wedi digwydd i bawb. Hen edefyn bach yn gwthio'i ffordd allan o'r patrwm taclus o amgylch dilledyn. Yn mynnu ei ffordd yn erbyn gwraidd y patrwm, yn brotest sy'n achosi i'r dilledyn raflo a Mam yn gorfod gwnïo'r hen drowsus hwnnw eto. Peth felly ydi cariad am wn i. Lyfli pan mae o'n rhan o rywbeth cyflawn. Cynnes pan fo'r edefyn a'r patrwm yn cyd-fynd mewn harmoni nes daw'r dydd i newid cyfeiriad weithiau a phenderfyniad sydyn yr edefyn i ollwng gafael a mynd ar ei liwt ei hun, gan arwain at y raflo dieflig. Ond rhaid cofio bod Mam yn gallu trwsio ein hedefyn ninnau hefyd, nid dim ond ar ddilledyn.

# Briwsion Arian

Mi wnes i sylwi 'i bod hi 'di ca'l sgidia newydd – o Shoe Zone. Ryw bymps gwynion a'u gwadnau'n denau megis papur pumpunt. Crychu ei haeliau y mae hi a rhoi ei holl nerth i'r geiniog rhwng ei bys a'i bawd i grafu'r papur arian nes iddo ddiflannu'n friwsion diddim i ddangos y rhifau a'r symbolau oddi tano, a'r rheiny'n siom iddi wrth daflu'r geiniog i'r tân.

A'r gobaith y byddai'r geiniog honno'n troi'n fwy na llwch yn mygu yn y simnai.

## Hedfan

Pilipala bach pinc a'i ryddid sy'n dy ddenu. Ei osgo'n chwim ymysg y blodau a'r petalau'n dawnsio i rythm ei symudiad yn awel yr haf, ac yntau'n malio dim heb synnu at yr hyn sydd oddi tano. A llygaid ifainc fy mrawd yn ei ddilyn a chyffroi wrth weld sioncrwydd ei symudiad. Ei ddwylo bychain yn ysu i afael ynddo, ond 'rhydd yw'r hen bilipala yn gadael ei farc ar dy fyd di, cofia di hynny'.

## Ianws o Rufain

'Hen ddyn iawn ydi o, wsti.'

'Ti'n meddwl?'

Ma' gynno fo ddau wyneb, ma' raid. Hen dro cas ynddo fo weithia'n troi'n chwyrn heb fath o rybudd a'i wyneb o'n crebachu wrth wylltio. Erbyn i 'mhanad oeri rywfaint, mae o'n ymddiheuro ac yn f'atgoffa nad fo oedd hwnna ac mae'n mynd trwy'r drws a thrio eto.

Tydi o ddim 'di ca'l tro fel hyn ers talwm. Yr hen ddrysa 'ma sy'n ei styrbio fo, yn ei newid o.

Yr hen Ianws.

## Llygaid y Sêr

'Ma' 'na rywun wedi dwyn y sêr.'

Y cymylau duon sy'n gwilt trwm yn yr awyr gan orchuddio'r winc sydyn o lygaid y sêr.

'Paid ti â phoeni, maen nhw'n parhau i sgleinio er gwaetha'r hen gymylau cas.'

# SIÂN ESMOR

YR UN OEDD Y FFORDD GUL, DDI-DROI'N-ÔL AT YR ABER

# Defod

Unwaith eto eleni, roedd y lle mor gyfarwydd i'r ddau â phetaen nhw wedi bod yno ddoe. Yr un oedd y ffordd gul, ddi-droi'n-ôl at yr aber. Yr un oedd sŵn y tonnau bach yn chwipio'r lan. Yr un oedd llyfnder y cerrig a fuasai'n berffaith i sgimio'r dŵr. Yr un oedd brath y gwanwyn cynnar wrth i'r ddau sefyll yno, dim ond am funud bach, a chofio. Caeodd Rhian ei llygaid, fel petai hi'n gweddïo, a sibrwd ei henw i'r gwynt. Elen, dyna fuasen nhw wedi ei galw hi, tasai hi wedi bod yn ferch. Doedd ganddyn nhw ddim bedd, gan mai cwta ddeufis y bu'n ei chario, ond roedd ganddyn nhw fan hyn. Yma y daethon nhw i ffarwelio â hi ac i gydio yn ei gilydd yn dynn, dynn.

Llithrodd llaw dde Rhian i faneg chwith Huw a nythu yno. Roedd ei law yn graig o wres a'i lygaid llaith yn gariad i gyd.

# Cais

Hen dŷ oer oedd Garreg Lwyd, ei furiau trwchus yn gaer nad oedd llawer yn mentro iddi. Mor wahanol i'w chartref newydd hi ac Elis, meddyliodd Ann, wrth gerdded yn bwrpasol tuag ato. Goleuodd ei hwyneb wrth iddi feddwl pa mor ffodus yr oeddynt wedi bod, yn cael eu derbyn yn denantiaid cyntaf y tŷ gan y Cyngor Sirol. Mrs Elis Owen, Nymbar Êt, Tai Newyddion. Dyna pwy fyddai hi'r adeg hon yfory, ac allai Ann ddim aros.

Elis annwyl, garedig, ddoniol, chwareus. Elis a oedd yn gwneud i'w chalon hi guro mewn ffordd nad oedd wedi sylweddoli ei bod yn bosibl . . .

Roedd hi wedi cyrraedd. Cymerodd anadl ddofn a churodd y drws.

Doedd Sarah Owen ddim wedi disgwyl ymwelydd arall y diwrnod hwnnw. Roedd Gwen wedi gadael am y dydd a'i lobsgóws yn ffrwtian ar y tân, yn well na geiriau. Roedd Gwen yn gwybod pryd i wneud lobsgóws, ac roedd digon i bara'r penwythnos.

Hi oedd yno.

'Ann Huws. Dydi Elis ddim adra eto.'

'Chi'r oeddwn i eisiau ei gweld, os oes gynnoch chi bum munud, os gwelwch yn dda.'

Cafodd ddod i'r gegin, lle eisteddodd y ddwy o boptu i'r tân.

Wnaeth hi ddim ymbil, fel y byddai Sarah Owen wedi disgwyl i rywun o'i chefndir hi ei wneud, dim ond dweud. Dweud y *bydden* nhw'n priodi yn y bore, ac y byddai diwrnod Elis yn gyflawn petai hithau, ei fam, yno. 'Dowch,' anogodd, cyn gadael a'r dyfodol lond ei llygaid.

Roedd hi'n dechrau tywyllu pan gododd Sarah Owen o'i chadair i nôl ei het orau.

## Tacsi Mam

Dw i 'di bod yn gyrru drwy'r twllwch ers ugian munud, a dw i 'di blino. Bora Sadwrn arall, a dw i'n ôl wrth y llyw. Mae cŵn Caer yn dechra stwyrian, ac mae'r seren eira ar y dashbord yn fflachio'n ddireidus, fel tasa hi'n trio deud wrtha i mai yn 'y ngwely y dylswn i fod. Yn sydyn, rhwng Llanfairfechan a Phenmaenmawr a'r Gogarth, dw i'n troi cornel ac mae hi'n dechra g'leuo. Dw i'n gweld siapia creigia, adeilada; traeth gwag, syfrdanol o brydferth. Ac mae 'na liw oren yn gwthio'i hun drwy ddüwch yr awyr, fel babi'n dod i'r byd. Dw i'n cael cip yn y drych ar y sedd gefn. Dw i'n gweld hogyn yn 'i *headphones* yn 'i elfen, a dw i'n gwbod mai hon 'di'r daith hawsa eto.

## Sws

Dw i'n dal i gofio sut roedd ei dalcen yn teimlo wrth i mi roi'r sws fach olaf iddo fo yn yr ysbyty. Fel taswn i'n deud hwyl am y tro, wela i di wedyn. Ond mi ro'n i'n gwybod. Yn synhwyro rywsut fod y diwedd ar ddod. Ac ro'n i'n falch. Dim ond hyn a hyn o weld rhywun 'dach chi'n ei garu'n diflannu y medrwch chi ei ddioddef, felly sws fach arferol gafodd o, ar ganol ei dalcen, ac adra â fi i weddïo na fyddai'r alwad yn hir yn dod.

## Gwreichion

Gorsaf Euston, pnawn Sul ar gynffon y penwythnos gora 'rioed. Fynta'n gwneud y peth iawn, y peth bonheddig, drwy ei danfon hi i ddal ei thrên cyn ei throi hi am Paddington, a'i drên yntau. Yn ddigywilydd o gyhoeddus, plygodd tuag ati. Wrth i'w gwefusau barus ailddarganfod ei gilydd, teimlai Cerys y pair teimladau yn ei stumog yn dechrau ffrwtian, a daeth gwres i'w bochau cyn iddi gamu'n llawn cyffro i'r cerbyd.

Hanner awr yn ddiweddarach, a churiad ei chalon o'r diwedd yn arafach na rhythm y trên, cododd Cerys i nôl paned. Cofleidiodd honno'n hir cyn dod yn ymwybodol o'r wawl gynnes oedd wedi glynu fel siôl amdani. Daeth gwên i'w hwyneb wrth iddi sylweddoli y gallai hon fod yn siwrnai a hanner.

# MARED LEWIS

ROEDD HI WEDI BOD YN BYSEDDU'R TOCYN

# Pum Curiad

### TRI CHAM

Mentrodd un droed allan o'r gwely, ac yna aros. A gwrando. Dim. Dim ond rhythm ei anadl yn gyfoglyd reolaidd. Mentrodd lusgo'r droed arall, yn araf, araf. Aros. Gwrando eto. Craffodd ar y golau dydd yn gwthio'n bowld rhwng hollt y cyrtens. Ei igam-ogamu herciog ar draws y llawr a drosti hi. Drosto fo. Dilynodd ei llygaid y llinell felen haerllug. Yna gwelodd y drws. Yn loyw o addewid.

### MENTRO

Roedd hi wedi bod yn byseddu'r tocyn nes ei fod yn dechrau breuo, ac inc y gair 'Schiphol' wedi duo yn un cwmwl du dan chwys ei chroen.

### COLLED

Mynd yno i gasglu'r bocsys ola wnes i. Llanwyd fy meddwl gan ymarferoldeb parcio, chwilio am y goriad. A hyd yn oed ag atsain clep drws y car yn fyw o hyd, wnes i ddim edrych i fyny'n iawn tan i mi gyrraedd gwaelod y grisiau carreg. Ac yna edrych i fyny. A'u gweld. Côr y gleision, pob un yn plygu pen, yn swil o'u harddwch, yn crynu mymryn mewn awel. Côr o lygaid glas. Ei llygaid glas hi.

### DIWEDD SIOE
Ffarwél heulog tydy'r-byd-yn-blydi-grêt. Ei llais yn gymanfa o gonsýrn. Clic ar fotwm ffôn. Enw'n diflannu'n ddim. Llithrodd i'r soffa agosa. Syllu, heb weld. Gwrando, heb glywed dim ond ei lais o. Eu galargan nhw.

### FFARWELIO
Platfform llawn yn wag i gyd.

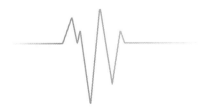

# MEINIR EAMES

ADDURNIADAU LLIWGAR, A'R CAROLAU CYFARWYDD AR Y WEIRLES

## Y Cychwyn

'Mae'n ddrwg iawn gen i orfod cadarnhau bod y profion wedi dod 'nôl yn bositif.'

Saib. Ac yna mae llais Mam yn torri ar draws y tawelwch annifyr, 'Ydi hi'n amser mynd adra rŵan?'

## Gwadu

Fedra i ddim derbyn hyn. Dwi'n trio fy ngora ond fedra i ddim ei dderbyn. Mae Mam yn hollol iawn. Mae'n rhaid bod 'na gamgymeriad wedi bod. Maen nhw'n gneud camgymeriadau, tydyn? Dwi wedi darllen cannoedd o straeon am ddoctoriaid yn deud wrth bobol bod 'na betha mawr arnyn nhw a'r peth nesa, llythyr yn dŵad a deud, 'Wps! Sori! Canlyniadau rhywun arall oedd rheina, does 'na ddim byd yn bod arnoch chi.'

Dwi efo hi bron bob dydd, dwi'n ei nabod hi'n well na neb. Fi ydi'r person agosa ati ers i ni golli 'nhad. Iawn, mae hi chydig bach yn anghofus weithia, ond pwy sydd ddim? Mi rydan ni'n crwydro bob penwythnos i wahanol lefydd, ac yn mwynhau ein hunain yn tsiampion. Dim ond wsnos diwetha gawson ni gymaint o sbort yn chwerthin yn braf ar ôl colli ein gilydd yn Llandudno. Roedd Mam ar y pier a finna yn disgwyl amdani yn y caffi, sôn am hwyl. Wir i chi, dwi'n gwybod bod Mam yn iawn.

# Derbyn

Dwi'n gweld fy chwaer bach yn diflannu o flaen fy llygaid. Yr wyneb, y llais, yr arogl, y chwerthiniad yn parhau i fod yn gyfarwydd, ond y cyfan yn pellhau rhywsut wrth iddi foesymgrymu o flaen y gelyn sy'n ei chipio oddi arnon ni. Dwi'n casáu gweld yr ansicrwydd yn ei llygaid wrth iddi beidio â nabod rhywun cyfarwydd sy'n ei chyfarch, neu wrth iddi fethu rhoi'r teciall ymlaen i wneud panad i mi. Enid, fy chwaer bach, y meddyg teulu cadarn, mam a thad i Megan pan fu farw Geraint a hithau'n weddw o flaen ei hamser. Hi a fi ydi'r unig ddwy sydd ag atgofion lu o'n plentyndod efo Mam a Dad adra ar y ffarm, a hafau hirion poeth yn nhŷ Nain ym Mhen Llŷn. Dim ond hi a fi oedd yno y noson wnes i gyfarfod Elwyn, fy nghariad am byth, a dim ond hi sy'n gwybod faint o gysur oedd siarad am y noson honno efo hi yn ystod y dyddiau tywyll diobaith, diderfyn yn dilyn ei ddamwain. Dwi'n colli ychydig bach ohoni bob dydd, a dwi hefyd yn colli rhan ohona i. Dim ond y fi fydd yn fy nghofio i'n ddeg oed, yn bymtheg ac yn bump. Dwi'n ffarwelio â hi bob dydd a dim ond y fi sy'n sylweddoli maint y golled, ac yn teimlo'r hiraeth.

## Y machlud

'Mam! Mam, dowch yma, brysiwch! Mae Anti Enid drws nesa newydd fynd i mewn i'r toilet dynion, a mae 'na ddyn newydd fynd i mewn ar ei hôl hi! Brysiwch, Mam!'

'Mae'n iawn, cariad, wna i ofyn i Dad fynd ar ei hôl hi. Mi fydd hi'n saff wedyn.'

## Aros

Dwi'n gynnes braf yn eistedd fan hyn. Mae'r haul yn tywynnu'n llachar drwy'r ffenast – hawdd fyddai meddwl ei bod yn ddiwrnod o haf, heblaw am y tân cynnes sy'n cadw cwmpeini i mi, y goeden Nadolig fawr sy'n sychu yn y gwres ac yn gwegian o dan yr holl addurniadau lliwgar, a'r carolau cyfarwydd ar y weirles. Dwi'n glyd a chynnes, gyda blanced drom dros fy nglinia, ac ydw, dwi'n teimlo'n hapus, er nad ydw i'n gwbod pam. Mi ddyliwn i deimlo'n unig ac yn ofnus, beryg. Dwi ddim yn nabod neb yma, ond mae pawb yn ffeind a chyfeillgar, ac yn fy nabod i. Dwi'n siŵr bydd yn rhaid i mi fynd adra toc ac mi ddaw Mam i fy nôl i bryd hynny. Ond am y tro, mi dwi'n fwy na hapus i ista yma o flaen y tân yn canu'r carolau hyfryd fel ro'n i'n ei neud yn yr ysgol Sul. Ia, un ennyd fach gysurus cyn i Mam ddod i fy nôl i.

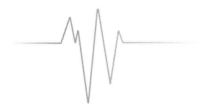

# SIAN NORTHEY

NEB OND HI A FI A'R BELEN WYDR AR Y BWRDD

# Deud

Petawn i'n sgwennu stori amdano fo, a'i ddisgrifio fo – lliw ei wallt, ei swydd, ei hoff gyfarchiad, enw'i gi, harddwch ei ewinedd – a phetai rhywun yn fodlon ei chyhoeddi, a phetai o'n digwydd prynu'r llyfr, a phetai o'n darllen y stori, a phetai o'n adnabod ei hun, mi fysa fo'n gwbod wedyn, yn bysa? Neu mi allwn anfon tecst.

# Gwrth-ddeud

Ei swydd bob dydd oedd gwglo, gwglo'n gyflym a gwirio'r ffeithiau a gyflwynai'r gwleidyddion ar y sgrin. Yna eu herio a'u gwrthbrofi. Dibynnai arnynt i ddal ati i gyboli; fyddai hi'n neb heb fastads clwyddog.

'Neb, neb o bwys,' meddai'i gŵr â hanner gwên.

# Deud ffortiwn

Mi oeddan ni'n griw mawr swnllyd, yn chwil ar seidar a chandi-fflos, yn gwthio'n dalog trwy'r dyrfa fraich ym mraich, heb ollwng i wneud lle i neb. Ond roedd rhaid mynd i mewn i'r garafán fechan bob yn un ac eistedd yno'n dawel, neb ond hi a fi a'r belen wydr ar y bwrdd rhyngom. A phan ddois i allan, wnes i ddim ailymuno efo'r gadwyn genod; ond yn hytrach sleifio i mewn i far cefn y Prince a'i gwneud hi'n amlwg wrth Deio na fyddai unrhyw wrthod y noson honno.

'Dw i'n gweld dyn yn eich gadael, dyn 'dach chi'n ei garu. Ac fe fydd yn eich gadael chi'n rhy fuan, ac fe fyddwch chi'n torri'ch calon.'

'Stwffio chdi'r ast! Malu cachu! Wneith o ddim 'y ngadael i!' gwaeddais wrth adael y garafán, a fy ffrindiau'n chwerthin.

Ond fe wnaeth fy ngadael, a thorri 'nghalon. A tydi o ddiawl o ots gen i be 'di'ch barn chi am wraig bedwar ugain a dwy o'i ffrindiau yn yfed peintiau o seidar mewn te cynhebrwng.

## Atal deud

'Hoffet ti i mi eu darllen?' gofynnais.

Prin roeddwn i'n ei hadnabod ond fi oedd yn sefyll agosaf ati ac roedd ei checian, y llythrennau a'r geiriau yn gwrthod yn

glir â llifo'n rhwydd o'i cheg, yn creu embaras iddi hi a'r gynu-
lleidfa. Pasiodd y papur i mi, cyffwrdd blaenau fy mysedd, a
chamu oddi wrth y meic. Ugain mlynedd yn ôl. Bellach mae
pob trefnydd gŵyl yn gwybod mai fi fydd yn darllen cerddi
Alma Menai, ac y bydda i, ei gwraig, wrth ei hochr ym mhob
sesiwn holi rhag ofn i bethau fynd yn drech na hi. Alma ydi'r
un yn y cafftans lliwgar. Maen nhw'n gofyn ei barn ynglŷn ag
Israel neu newid hinsawdd neu dwf totalitariaeth. Ond tydyn
nhw byth yn gofyn i mi a ydw i'n dal i sgwennu.

## Deud ar gân

Weithiau pan dw i a 'nghyd-frodyr yn llafarganu *Ubi caritas
et amor, Deus ibi est*, dw i'n ei chofio.

# Bywgraffiadau

## SONIA EDWARDS

Mae Sonia Edwards yn enedigol o Gemaes, Môn, a bellach yn byw yn Llangefni. Yn enillydd Gwobr Llyfr y Flwyddyn yn 1996, a Medal Ryddiaith yr Eisteddfod Genedlaethol yn 1999 a 2017, mae'n awdur sawl cyfrol o ryddiaith i blant, pobl ifanc ac oedolion.

## IWAN RHYS

Magwyd Iwan ym Mhorth-y-rhyd, Cwm Gwendraeth. Ar ôl cyfnodau mewn sawl sir yng Nghymru a thramor, mae wedi ymgartrefu yng Nghaernarfon ers 2012 lle mae'n gweithio fel cyfieithydd llawrydd. Enillodd Gadair yr Urdd yn 2001 a 2008, ac mae'n dalyrnwr ac ymrysonwr brwd. Lluniodd gyfrol o 365 o englynion, *Eleni mewn Englynion* (Gwasg Carreg Gwalch) yn 2008, a chyhoeddodd y nofel *Y Bwrdd* (Y Lolfa) yn 2019, wedi iddi ddod yn agos i'r brig yng nghystadleuaeth y Fedal Ryddiaith yn yr Eisteddfod Genedlaethol y flwyddyn honno.

## MARI GWILYM

Mae'r actores a'r cyfarwydd, Mari Gwilym, wedi bod yn ysgrifennu erioed. Bu'n sgriptio rhaglenni plant ar gyfer y cyfryngau a'r Theatrau

Cymunedol a'r rhai Mewn Addysg yn ogystal. Yn ddiweddar, dechreuodd greu mwy o ryddiaith na drama. Cyhoeddodd ddau lyfr i blant gyda gwasg y Lolfa. Yna yn 2012 (ail argraffiad, 2013) a 2017, ysgrifennodd ddwy gyfrol o straeon dwys a digri ar gyfer oedolion i Wasg Carreg Gwalch, a lluniodd hefyd straeon mewn detholiadau i Wasg y Bwthyn. Diolch i'r wasg honno, ac anogaeth Grŵp Ysgrifennu Tŷ Newydd, Llanystumdwy, dyma hi'n mentro rŵan i fyd straeon bychain bach!

## MARRED GLYNN JONES

Cyn-newyddiadurwr, ymchwilydd a swyddog y wasg o Ynys Môn sydd bellach yn byw ym Mangor ac yn mwynhau golygu llyfrau o bob math a chydweithio ag awduron ar draws Cymru. Y pethau pwysig yn ei bywyd ydi teulu, ffrindiau, ei chi, Liwsi, garddio, bwyta bisgedi siocled, darllen a phaned gynta'r bore! Ac mae Cymru a'r iaith Gymraeg yn agos at ei chalon hefyd, wrth gwrs!

## ELINOR WYN REYNOLDS

Bardd, awdur a darlledwraig yw Elinor Wyn Reynolds. Mae'n dod o Dreorci'n wreiddiol ac wedi'i magu yng Nghaerfyrddin – dau le ardderchog. Bu'n byw mewn sawl rhan o Gymru ac erbyn hyn mae hi'n byw yn ôl yn ei milltir sgwâr yng Nghaerfyrddin gyda'i theulu, sydd ddim yn ffôl o beth i'w wneud. Cyrhaeddodd ei chyfrol *Gwiri-onedd* restr fer Gwobr Llyfr y Flwyddyn 2020.

## MORGAN OWEN

Bardd a llenor o Ferthyr Tudful yw Morgan Owen. Yn 2019 cyhoeddodd bamffled o gerddi, *moroedd/dŵr* (Cyhoeddiadau'r Stamp), a enillodd Wobr Michael Marks am Farddoniaeth yn yr Ieithoedd Celtaidd. Yr un flwyddyn, cyhoeddodd gyfrol o gerddi, *Bedwen ar y lloer* (Cyhoeddiadau'r Stamp). Ar hyn o bryd mae'n gweithio ar gasgliad o ysgrifau am Ferthyr gyda nawdd Ysgoloriaeth Awdur Llenyddiaeth Cymru.

## LLIO MAI HUGHES

Un o Fryngwran, Ynys Môn yw Llio, ond mae bellach yn byw yng Nghyffordd Llandudno ac yn gweithio yng Ngwynedd. Wedi graddio mewn Cymraeg gydag Ysgrifennu Creadigol o Brifysgol Bangor yn 2013, aeth ymlaen i ddilyn cwrs MA Ysgrifennu Creadigol cyn cwblhau doethuriaeth yn 2019 ar agweddau ar y theatr Gymraeg. Mae wrth ei bodd yn darllen ac ysgrifennu ac yn ymddiddori ym myd y theatr. 'Be well felly na bod yn aelod o Theatr Fach Llangefni – y cyfle perffaith i ddychwelyd i Fôn ac ymgolli mewn cynyrchiadau o bob math?' meddai.

## CARON WYN EDWARDS

Wedi graddio o Brifysgol Caerdydd, bu Caron Wyn Edwards yn byw yng Nghaerdydd am sawl blwyddyn ond mae hi bellach yn byw yn Rhostryfan ger Caernarfon. Yn ogystal ag ysgrifennu i'r *Daily Post* a'r *Western Mail*, bu iddi gydweithio â'r gantores Heather Jones ar ei hunangofiant *Gwrando ar fy Nghân* (Dref Wen, 2007) yn ogystal â chyfrannu i'r nofel gywaith *Nerth Bôn Braich* (Gwasg y Bwthyn, 2008). Mae ei straeon byrion hefyd wedi eu cyhoeddi yn y Saesneg.

## LLŶR GWYN LEWIS

Cyfrol ryddiaith ddiweddaraf Llŷr Gwyn Lewis yw ei gasgliad o straeon, *Fabula* (Y Lolfa, 2017), ac enillodd y Stôl Ryddiaith yng Ngŵyl Amgen yr Eisteddfod Genedlaethol yn 2020. Mae hefyd yn fardd sy'n aelod o dîm Talwrn y Ffoaduriaid a chriw Bragdy'r Beirdd, a chyhoeddodd bamffled o gerddi, *rhwng dwy lein drên*, ym Mehefin 2020. Mae'n byw yng Nghaerdydd gyda Lowri a'u mab Math.

## MEGAN ANGHARAD HUNTER

Daw Megan o Benygroes, Dyffryn Nantlle, ond mae hi bellach yn astudio Cymraeg ac Athroniaeth ym Mhrifysgol Caerdydd. Cyhoeddwyd straeon byrion ganddi yng nghylchgronau'r *Stamp* ac *O'r Pedwar Gwynt*, ac mae hi wedi cyhoeddi nofel ar gyfer oedolion ifanc o'r enw *tu ôl i'r awyr* (Y Lolfa, 2020).

## IESTYN TYNE

Llenor, cerddor ac artist o Lŷn yw Iestyn Tyne. Enillodd Goron Eisteddfod Genedlaethol yr Urdd yn 2016 a'i Chadair yn 2019. Ef yw un o olygyddion a sylfaenwyr cylchgrawn *Y Stamp*. Mae'n gyd-olygydd *Dweud y Drefn pan nad oes Trefn: Blodeugerdd 2020* (Cyhoeddiadau'r Stamp) a *Welsh (Plural)* (a gaiff ei gyhoeddi gan Repeater Books yn 2022), a chyhoeddir ei bedwaredd gyfrol o farddoniaeth yn ystod 2021. Mae bellach yn byw yng Nghaernarfon gyda'i wraig, Sophie, a Casi'r ci.

## MEG ELIS

Mae Meg bellach wedi cyrraedd oedran yr addewid, ac felly'n teimlo'n rhydd i lifo ei gwallt yn biws, a threulio'i hamser yn darllen, coginio, garddio a cheisio perswadio ei hwyres i adael ei ffôn yn llonydd am bum munud a mynd i ddarllen. Bob yn ail ddiwrnod, caiff ffit o gydwybod, gan fynd ati i gyfieithu, adolygu a gwneud mân dasgau ysgrifennu, cyn troi at y gwaith sydd ganddi ar y gweill, sef dwy nofelig, rhes o straeon byrion, ac ailwampio nofel, ymysg pethau eraill. Yn ei hamser sbâr, mae'n ymdrechu i ddysgu Almaeneg.

## RHIANNON LLOYD WILLIAMS

Ers graddio yn y Gymraeg o Brifysgol Bangor yn 2017, mae Rhiannon Lloyd Williams bellach yn byw yng Nghaerdydd ac yn gweithio i S4C yn rhan o'r tîm marchnata. Yn 2018, roedd Rhiannon yn rhan o Gynllun Mentora Llenyddiaeth Cymru ac yn yr un flwyddyn, cynhyrchwyd ei ffilm fer, *Paid Troi Nôl*, yn rhan o gynllun 'It's My Shout'. Yn ddiweddar, mae hi wedi cyfrannu at y cyfrolau *Byw yn fy Nghroen* (Y Lolfa, 2019) ac *Adref* (Cara, 2020). Mae hi hefyd yn gyd-sylfaenydd y wefan Cant a Mil o Freuddwydion, sef gwefan rad ac am ddim sy'n cynnwys straeon nos da Cymraeg i blant. Ei hoff *genre* yw *sci-fi*.

## ALED JONES WILLIAMS

Dramodydd yn bennaf; nofelydd weithiau; bardd bob amser . . . ond yn achlysurol! Y gweithiau diweddaraf: *Branwen*, ar gyfer Theatr Genedlaethol Cymru (2020); *Y Wraig ar Lan yr Afon* (Gwasg Carreg Gwalch, 2020).

## MIRIAM ELIN JONES

Mae Miriam yn awdur ac yn ddramodydd, ac enillodd radd PhD o Brifysgol Aberystwyth yn 2019 am ei doethuriaeth yn trin a thrafod ffuglen wyddonol Gymraeg. Yn fwyaf diweddar, cyhoeddwyd ei gwaith yn y cyfrolau *Adref* (Cara, 2020), *Seren Wib a Straeon Eraill* (Y Lolfa, 2018) a *Dweud y Drefn pan nad oes Trefn: Blodeugerdd 2020* (Cyhoeddiadau'r Stamp). Mae'n rhan o Grŵp Dramodwyr Newydd Theatr Genedlaethol Cymru ers 2018, a chydsefydlodd gylchgrawn a gwefan *Y Stamp* yn 2016. Daw'n wreiddiol o Lanpumsaint, Sir Gaerfyrddin, ond mae hi bellach wedi ymgartrefu gyda'i phartner ym Mro Morgannwg.

## ANGHARAD ELLIS

Daw Angharad Ellis o Dremadog. Wedi iddi raddio o Brifysgol Bangor yn 2019, aeth i weithio i Lenyddiaeth Cymru yng Nghanolfan Ysgrifennu Tŷ Newydd. Bellach mae hi'n ôl ym Mhrifysgol Bangor yn hyfforddi fel athrawes Gymraeg uwchradd, ac yn edrych ymlaen i ddechrau ei swydd newydd yn Ysgol Bro Dur. Yn ei hamser rhydd, mae hi'n mwynhau cerdded, boed yn fynyddoedd neu'n Llwybr yr Arfordir, a rhedeg yn ei milltir sgwâr cyn swatio adref gyda llyfr yn ei llaw. Dechreuodd ysgrifennu'n greadigol yn y brifysgol gan gystadlu mewn eisteddfodau lleol a chenedlaethol ac yn eisteddfodau'r Ffermwyr Ifainc.

## SIÂN ESMOR

Cafodd Siân ei magu yn yr Wyddgrug a Chaernarfon ac mae'n byw yn Rachub ar gyrion Bethesda ers dros ugain mlynedd. Graddiodd gydag MA yn y Gymraeg o Brifysgol Bangor a chael gyrfa amrywiol ym myd teledu cyn hyfforddi'n diwtor Cymraeg i Oedolion. Ychydig dros ddegawd yn ôl, dychwelodd i'r Brifysgol, i weithio fel tiwtor iaith yng Nghanolfan Bedwyr. Bu'n ymddiddori mewn ysgrifennu ers ei dyddiau coleg, ac mae hi wedi ennill ambell wobr mewn eisteddfodau lleol, ond dyma'r tro cyntaf iddi gyhoeddi ei gwaith creadigol.

## MARED LEWIS

Un o Ynys Môn ydi Mared Lewis ac mae hi bellach yn byw yn Llan-ddaniel Fab ar yr ynys gyda'i theulu. Mae hi wedi cyhoeddi chwe nofel i oedolion – y ddiweddaraf yw *Gemau* (Y Lolfa, 2020) a gyhoeddwyd yn ystod y Clo Mawr. Enillodd radd MA mewn Ysgrifennu Creadigol o Brifysgol Bangor yn 2019. Dyma'r tro cyntaf iddi fentro ysgrifennu straeon bychain bach.

## MEINIR EAMES

Ganwyd a magwyd Meinir yn Nhal-y-sarn yn Nyffryn Nantlle cyn symud i Lanwnda yn dair oed. Cafodd ei haddysg gynnar yn Ysgol

Waunfawr lle roedd ei mam yn athrawes a'i haddysg uwchradd yn Ysgol Dyffryn Nantlle, Penygroes. Aeth ymlaen wedyn i'r Coleg Normal ym Mangor i astudio Cyfathrebu ac Ysgrifennu Creadigol o dan Rhiannon Davies Jones ac Ifor Wyn Williams. Mae bellach yn Rheolwr Busnes Cynllun Trawsnewid Iechyd Meddwl Gwynedd a Môn yng Nghyngor Dinbych. Mae'n byw yn Rhos Isaf ac mae ganddi ddau o blant, Shôn a Lois.

## SIAN NORTHEY

Yn Eisteddfod Genedlaethol Llanelli yn y flwyddyn 2000, ymddangosodd cystadleuaeth newydd sbon – 'Llên Meicro'. Er nad oedd hi'n hollol sicr beth yn union oedd llên feicro, bu Sian Northey yn ddigon ffodus i ennill. Mae wedi parhau i ysgrifennu straeon meicro, ac mae hefyd yn ysgrifennu straeon byrion, nofelau i oedolion a phlant, barddoniaeth, dramâu, ysgrifau a chyfieithiadau. Trwy wneud hyn i gyd a chynnal gweithdai, mae Sian, er mawr syndod iddi hi ei hun, yn llwyddo i ennill bywoliaeth fel awdur llawrydd – talu morgais, bwydo'r ci a'r gath a phrynu anrhegion i'r wyrion.

## GARETH EVANS-JONES (*Golygydd*)

Darlithydd mewn Astudiaethau Crefyddol ym Mhrifysgol Bangor a rhyw botsiwr sgwennu o Draeth Bychan ger Marian-glas, Ynys Môn, ydi Gareth. Mae wedi bod yn hynod ffodus i ennill ychydig wobrau am ei waith creadigol, gan gynnwys cystadleuaeth 'Llên Micro' Eisteddfod Genedlaethol Maldwyn a'r Gororau 2015, Coron a

Medal Ryddiaith Eisteddfod Môn (2016 a 2019), a'r Fedal Ddrama yn Eisteddfod Genedlaethol Sir Conwy 2019 am ei ddrama *Adar Papur* (a gynhyrchwyd gan Theatr Genedlaethol Cymru). Cyhoeddwyd ei nofel gyntaf, *Eira Llwyd*, yn 2018 gan Wasg y Bwthyn ac mae wrthi'n gweithio ar y nesaf.